UT OG STJÆLE HESTER

Per Petterson

UT OG STJÆLE HESTER

Roman

FORLAGET OKTOBER

2. opplag

PER PETTERSON *Ut og stjæle hester*
© Forlaget Oktober as, Oslo 2009
Første gang utgitt i 2003
Bokomslag: Egil Haraldsen & Ellen Lindeberg | EXIL DESIGN
Trykk og innbinding: UAB PRINT IT
ISBN: 978-82-495-0587-6

Første avsnitt på s. 229 (gjentatt på s. 232) er forfatterens oversettelse av
åpningssetningene i romanen *Voyage in the Dark* av Jean Rhys.

www.oktober.no

Til Trond T.

I

Tidlig november. Klokka er ni. Kjøttmeisene smeller mot vinduet. Noen ganger flyr de svimle av gårde etter sammenstøtet, andre ganger faller de og blir liggende i nysnøen og kave før de kommer seg på vingene igjen. Jeg veit ikke hva jeg har som de vil ha. Jeg ser ut av vinduet mot skogen. Det er et rødt lys over trærne mot sjøen. Det begynner å blåse. Jeg ser vindens form i vannet.

Jeg bor her nå, i et lite hus ved en innsjø langt øst i landet. Ut i sjøen renner ei elv. Det er ei lita elv med liten vannføring midt på sommeren, men om våren og høsten strømmer den friskt, og det *er* ørret i den. Jeg har da tatt noen. Munningen er bare noen hundre meter herfra. Jeg kan så vidt få øye på den fra kjøkkenvinduet når løvet har falt fra bjørketrærne. Som nå i november. Det ligger ei hytte ved elva, jeg kan se når lampene er tent hvis jeg går ut på trappa. Det bor en mann der som jeg trur er eldre enn meg. Han virker sånn. Men kanskje er det fordi jeg ikke forstår hvordan jeg sjøl ser ut, eller livet har vært hardere mot han enn det har vært mot meg. Det skal jeg ikke se bort ifra. Han har en hund, en border collie.

Jeg har et fuglebrett på en stake et stykke ut på tunet. Om morgenen når lyset kommer, sitter jeg ved kjøkkenbordet med en kaffekopp og ser dem komme flaksende. Jeg har talt åtte forskjellige arter på brettet. Det er flere enn ved noe annet sted jeg har bodd, men det er bare kjøttmeisen som flyr i vinduet. Jeg har bodd mange steder. Nå bor jeg her. Når lyset kommer har jeg vært våken i flere timer. Fyrt i ovnen. Gått omkring, lest avisa fra i går, tatt oppvasken fra i går, den var ikke stor. Hørt på BBC. Radioen står på det meste av døgnet. Jeg hører nyheter, greier ikke venne meg av med det, men jeg veit ikke lenger hva jeg skal bruke dem til. De sier at sjuogseksti år ikke er mye, ikke i våre dager, og det føles ikke sånn heller, jeg føler meg sprek. Men når jeg hører nyheter, har de ikke lenger den samme plassen i livet mitt. De forandrer ikke synet mitt på verden som de gjorde før. Kanskje er det nyhetene det er noe feil med, måten de blir fortalt på, kanskje er det for mange av dem. Fordelen med BBC World Service, som blir sendt tidlig på morgenen, er at alt høres annerledes ut, at det ikke blir sagt noe som helst om Norge, og at jeg kan holde meg oppdatert på forholdet mellom land som Jamaica, Pakistan, India og Burma i en sport som cricket; en sport jeg aldri har sett bli utøvd og aldri kommer til å se, om det er opp til meg. Men det jeg har lagt merke til, er at «moderlandet» England bestandig får bank. Det er jo alltids noe.

Jeg har også en hund. Den heter Lyra. Av hvilken rase den skulle være, er ikke godt å si. Det er ikke så viktig. Vi har vært ute allerede, med lommelykt, og gått den stien vi pleier å gå etter sjøen med millimetertynn is på vannet helt innerst der det høstgule, døde sivet står stivt langs bredden, og snøen falt helt stille og tett mot den mørke himmelen over og fikk Lyra til å nyse av fryd. Nå ligger hun kloss inntil ovnen og sover. Det snør ikke lenger. Når dagen lir på, vil alt sammen smelte. Det ser jeg på termometeret. Den røde søyla stiger med sola.

Hele livet har jeg lengta etter å være aleine på et sted som dette. Sjøl når det var på det fineste, og det har ikke vært sjelden. Så mye kan jeg si. At det ikke har vært sjelden. Jeg har vært heldig. Men sjøl da, for eksempel midt i et favntak når noen hviska ord i øret mitt jeg gjerne ville høre, kunne jeg plutselig lengte meg bort til et sted der det bare var helt stille. Det kunne gå år da jeg ikke tenkte på det, men det betyr ikke at jeg ikke lengta dit. Og nå er jeg her, og det er nesten akkurat som jeg hadde forestilt meg.

Om knappe to måneder er dette tusenåret slutt. Da skal det være fest og fyrverkeri i bygda jeg sokner til. Dit skal ikke jeg. Jeg blir her i huset med Lyra, tar kanskje en tur ned til vannet for å se om isen holder, jeg tenker meg ti grader minus og månenatt, og så skal jeg fyre i ovnen og drikke meg passe full på ei flaske jeg har stående i skapet, legge ei plate på den gamle platespilleren med Billie Holiday sin stemme nesten som ei hvisking, som da jeg hørte henne i Colosseum inne i Oslo en gang på femtitallet, nesten utbrent, men likevel magisk. Når plata er ferdigspilt, skal jeg legge meg og sove så tungt som det går an uten å være død og våkne opp til et nytt årtusen og ikke la det bety noe som helst. Det gleder jeg meg til.

Inntil videre bruker jeg tida til å sette i stand dette stedet. Det er ikke lite som skal gjøres, jeg fikk det billig. For å være ærlig var jeg forberedt på å legge en god del mer i potten for å sikre meg huset og tomta, men det var ikke mye konkurranse. Jeg forstår jo hvorfor nå, men det gjør ingenting. Jeg er fornøyd uansett. Jeg prøver å gjøre det meste sjøl, enda jeg godt kunne betalt en snekker, jeg er langt fra blakk, men da hadde det gått for fort. Jeg vil bruke den tida det tar. Tid er viktig for meg nå, forestiller jeg meg. Ikke at den skal gå fort eller sakte, men bare som *tid*, som noe jeg lever i og fyller med fysiske ting og aktiviteter jeg kan dele den opp med, så den blir tydelig for meg og ikke blir borte når jeg ikke merker det.

Det skjedde noe i natt. Jeg hadde gått inn og lagt meg i kammerset ved siden av kjøkkenet der jeg har snekra ei provisorisk seng under vinduet, og jeg hadde sovna, klokka var over tolv, og det var kølsvart ute, og kaldt. Det merka jeg da jeg var ute en siste gang og slo lens bak huset. Jeg tillater meg det. Særlig fordi det foreløpig bare er utedo her. Ingen ser det uansett. Skogen står tett mot vest.

Jeg våkna av en skarp, høy lyd som ble gjentatt med korte mellomrom, og så ble det stille, og så begynte den igjen. Jeg satte meg opp i senga, åpna vinduet på gløtt og kikka ut. Gjennom mørket kunne jeg se den gule strålen fra ei lommelykt et stykke nede i veien ved elva. Han som holdt lommelykta var uten tvil den samme som lagde lyden jeg hørte, men jeg forsto ikke hva slags lyd det var, hvordan han lagde den. Hvis det var en *han*. Så svingte lysstrålen planløst til høyre og til venstre, liksom oppgitt, og i et glimt så jeg det furete ansiktet til naboen min. I munnen hadde han noe som så ut som en sigar, og så var lyden der igjen, og jeg forsto at det var ei hundefløyte, sjøl om jeg faktisk aldri før hadde sett ei sånn fløyte. Og han begynte å rope på hunden; Poker, ropte han, Poker, som var det hunden het, kom da gutten, ropte han, og jeg la meg ned i senga og lukka øynene, men jeg visste at jeg ikke kom til å sovne igjen.

Egentlig var det bare sove jeg ville. Jeg er blitt nøye med de timene som skal til, de er ikke så mange lenger, men jeg trenger dem på en helt annen måte enn før. En ødelagt natt kaster slagskygge mange dager framover og gjør meg irritabel og utafor. Det har jeg ikke tid til. Jeg må konsentrere meg. Likevel satte jeg meg opp i senga igjen, svingte beina ut på golvet, og i mørket fant jeg klærne som hang over ryggen på pinnestolen. Jeg måtte trekke pusten fort da jeg kjente hvor kalde de var. Så gikk jeg gjennom kjøkkenet og ut i gangen og dro den gamle losjakka på meg, tok lommelykta fra hylla og gikk ut på trappa. Det var stupmørkt. Jeg åpna døra igjen og stakk hånda inn og slo på utelyset. Det hjalp. Den rødmalte uthusveggen kasta et varmt skjær tilbake over tunet.

Jeg har vært heldig, tenkte jeg. Jeg kan godt gå ut til en nabo om natta når han leiter etter hunden sin, og det tar bare et par dager, og så er jeg fin igjen. Jeg tente lommelykta og begynte å gå ned veien fra tunet mot der han fortsatt sto i den slake bakken og svingte lykta så lysstrålen sveipte sakte rundt i en sirkel mot skogkanten, over veien, langs elvebredden og tilbake til utgangspunktet. Poker, ropte han, Poker, og så blåste han i fløyta, og lyden var ubehagelig høyfrekvent i den stille natta, og ansiktet hans, kroppen hans, var skjult i mørket. Jeg kjente han ikke, hadde

13

bare snakka med han noen ganger på vei forbi hytta når jeg var ute med Lyra gjerne helt tidlig på morgenen, og jeg fikk plutselig lyst til å gå inn igjen og glemme alt sammen; hva kunne vel *jeg* gjøre fra eller til, men nå hadde han sikkert sett lyset fra lykta mi, og det var blitt for seint, og uansett var det noe med den skikkelsen jeg så vidt ante ute i natta aleine. Han skulle ikke være aleine på den måten. Det var ikke riktig.

– Hallo, ropte jeg lavt, av respekt for stillheten. Han snudde seg, og et øyeblikk så jeg ingenting, for han satte lysstrålen rett i ansiktet mitt, og da han forsto det, senka han lykta. Jeg ble stående noen sekunder for å få nattsynet tilbake, og så gikk jeg ned til han, og vi sto der sammen med hver vår stråle av lys ut i hoftehøyde mot landskapet rundt oss, og ingenting så ut som det gjorde om dagen. Jeg er blitt vant til mørket. Jeg kan ikke huske om jeg noen gang har vært redd for det, men det har jeg sikkert, og nå føles det naturlig og trygt og framfor alt oversiktlig, uansett hvor mye som egentlig skjuler seg der. Det betyr ingenting. Ingenting kan konkurrere med kroppens ledighet og frihet, ingen definert høyde, ingen avslutta distanse, for ikke noe av det finnes i mørket. Bare et stort rom å bevege seg i.

– Han har stikki av igjen, sa naboen min. – Poker. Bikkja mi altså. Det skjer iblant. Han kommer jo bestandig tilbake. Men det er ikke lett å sova når han er vekk. Det er jo ulv i skauen nå. Ikke kan jeg stenge døra heller, syns jeg.

Han virka litt brydd. Det hadde vel jeg også vært, om hunden min rømte på den måten, og jeg veit ikke hva jeg hadde foretatt meg hvis det var Lyra det gjaldt, om jeg ville gått ut aleine om natta for å leite.

– Veit du at border collien blir regna som den mest intelligente bikkja i verden? sa han.

– Jeg har hørt det, sa jeg.

– Han er smartere enn meg, Poker, og det veit han. Naboen min rista på hodet. – Han holder på å ta over, er jeg redd.

– Det er vel ikke så bra, sa jeg.

– Nei, sa han.

Jeg kom på at vi aldri hadde hilst ordentlig, så jeg løfta hånda, satte lykta på den så han skulle se den og sa:

– Trond Sander. Det gjorde han forvirra. Han brukte et par sekunder før han fikk bytta lommelykta over i venstre hånd og tok meg i min høyre med sin høyre og svarte:

– Lars, Lars Haug. Med g.

– Gleder meg, sa jeg, og det låt like snålt og frem-med ute i den mørke natta som da faren min sa «kon-dolerer» i en begravelse langt inne i skauen uten g for mange, mange år siden, og jeg angra med én gang jeg hadde sagt de to orda, men Lars Haug lot seg ikke merke med det. Kanskje han syntes det var helt på sin plass, og at ikke situasjonen var merkeligere enn hvil-ken som helst annen når voksne menn hilser på hver-andre i felten.

Det var stille omkring oss. Det hadde vært dager og netter med regn og vind og uavlatelig susing i furu og gran, men nå var det dørgende tyst i skogen, ikke en skygge bevegde seg, og vi sto stille, naboen min og jeg, og stirra ut i mørket, og så var jeg plutselig sikker på at det *var* noe bak meg. Jeg greide ikke stoppe den brå følelsen av kulde langs ryggen, og Lars Haug merka det òg; han retta lykta mot et punkt et par meter forbi meg, og jeg snudde meg, og der sto Poker. Helt stiv og på vakt, og jeg har sett det før, at en hund kan både kjenne og vise skyldfølelse, og som med de fleste av oss var ikke det noe den likte, særlig ikke når eieren begynte å snakke til den i en nesten barnslig tone som sto dårlig til det værbitte, furete ansiktet til en mann som uten tvil hadde vært ute en vinternatt før og håndtert gjenstridige ting, kompliserte ting i motvind med motstand og høy egenvekt, det kjente jeg da vi tok hverandre i hendene.

– åå, hvor har du vært Poker, din dumme bikkje, har du vært ulydig mot pappan din, fy, slemme gutten, fy, sånn må du *ikke* gjøra, og han tok et skritt mot hunden, og da begynte den å knurre lavt nede i strupen og la ørene flatt bakover. Lars Haug stoppa brått. Han lot lykta synke til den lyste rett ned i bakken, og jeg kunne så vidt skjelne de hvite feltene i pelsen til hunden, mens de svarte forsvant i natta, og det så merkelig tilfeldig og usymmetrisk ut mens de lave strupelydene fortsatte fra et litt mer ubestemt punkt, og naboen min sa:

– Jeg har skutt ei bikkje før, og jeg lovte meg sjøl den gangen at jeg aldri skulle gjøra det igjen. Men nå veit jeg ikke. Han var ikke høy i hatten, det var lett å se, han visste ikke hvilket trekk som var det neste, og jeg syntes plutselig voldsomt synd på han. Det var en følelse som velta opp fra jeg veit ikke hvor, fra ute i mørket et sted der kanskje noe hadde skjedd i ei helt annen tid eller fra noe i mitt eget liv jeg for lengst hadde glemt, og det gjorde meg brydd og ille berørt. Jeg kremta og sa med en stemme jeg ikke helt hadde kontroll over:

– Hva slags hund var det, som du måtte skyte? Enda jeg trur ikke det var det jeg var interessert i, men noe måtte jeg si for å stoppe den overraskende skjelvinga i brystet.

– En schæfer. Men den var ikke min. Det skjedde på bruket der jeg vokste opp. Det var mor mi som så den først. Den sprang løs i skogkanten etter rådyr; to livredde halvvoksne kalver vi hadde sett i flere dager fra vinduet der de beita i kjerret langs den nordre enga. De holdt alltid sammen, og det gjorde de nå også, og schæferen jagde dem, sirkla dem inn, beit dem etter hasene, og de var ordentlig slitne etter hvert, de hadde ikke sjangs, og mor mi orka ikke se på det lenger, så hun ringte til lensmannen og spørte hva hun skulle gjøra, og han sa: Du får bare ta og skyte'n.

– Det er en jobb for deg, Lars, sa hun da hun hadde lagt på, – greier du det, trur du? Jeg hadde ikke løst, det må jeg si, jeg rørte nesten aldri den børsa, men jeg syntes veldig synd på rådyrkalvene, og jeg kunne ikke akkurat be *henne* om å gjøra det, og det var ingen andre hjemme. Storebror min var til sjøs, og stefaren min var i skauen og hogde tømmer for storbonden som han pleide på den tida av året. Så jeg tok børsa og gikk ut og over ækra mot skogen. Da jeg var over så jeg ingenting til bikkja. Jeg ble stående og lytte. Det var høsten, med helt klar luft midt på dagen, det var så stille at det nesten var uhyggelig. Jeg snudde meg og så tilbake over ækra mot huset der jeg visste at mor mi sto i vinduet og fulgte nøye med på alt jeg gjorde. Jeg slapp ikke unna. Jeg så inn i skogen igjen langs en sti, og der kom de to rådyra plutselig løpende mot meg. Jeg gikk ned i knestående og løfta børsa og la kolben mot kinnet, og de store kalvene var så vettskremte at de så meg ikke, eller de hadde ikke krefter nok til å bry seg om én fiende til. De skifta ikke kurs i det hele tatt, men kom rett imot meg og strøyk forbi noen tommer fra skulderen min, jeg kunne høre dem puste og så det glinse hvitt i de oppspilte øya.

Lars Haug stoppa et øyeblikk, løfta lykta og lyste på Poker som ikke hadde rørt seg fra stedet rett bak meg. Jeg snudde meg ikke, men jeg hørte hunden knurre lavt. Det var en ubehagelig lyd, og mannen foran meg beit seg i leppa og lot fingrene på den venstre hånda gli over panna i en usikker bevegelse før han fortsatte:

– Tredve meter bak kom schæferen. Det var et digert beist. Jeg brente av med en gang. Jeg er sikker på jeg traff, men han forandra hverken fart eller retning, det var kanskje bare en rykning i kroppen, jeg er fader ikke sikker, så jeg skøyt igjen, og han suste ned på knea og kom seg opp igjen og fortsatte å løpe. Jeg blei helt fortvila og sendte av gårde enda et skudd, han var bare noen meter fra meg, og da stupte han rett ut med beina i været og sklei helt fram til støveltuppen min. Men han var ikke dau. Han lå der med lamme bein og så rett opp på meg, og jeg syntes plutselig synd på han, det må jeg si, så jeg bøyde med ned for å gi han et siste klapp over nakken, og da knurra han og glefsa etter hånda mi. Jeg skvatt noe ordentlig og blei rasende og ga han to skudd til, rett gjennom hue.

Lars Haug sto med ansiktet borte i skyggene, lommelykta hengende trøtt fra hånda igjen, og den viste bare ei gul lita skive på bakken. Barnåler. Småstein. To furukongler. Poker sto helt stille og ga ikke fra seg en lyd, og jeg lurte på om hunder kunne holde pusten.

– Det var som faen, sa jeg.

– Jeg hadde nettopp fylt atten år, sa han. – Det er lenge sia, men jeg glømmer det aldri.

– Da skjønner jeg godt at du aldri vil skyte en hund igjen, sa jeg.

– Vi får se, sa Lars Haug. – Men nå får jeg vel ta med meg bikkja inn. Det er seint. Kom, Poker, sa han og var med ett skarp i stemmen, og myndig, og han begynte å gå ned veien. Poker fulgte lydig med noen meter bak. Da de var framme ved den lille brua, stoppa han og vifta med lykta.

– Takk for selskapet, sa han høyt gjennom mørket. Jeg vifta med mi lykt og snudde og gikk opp den slake bakken mot huset og åpna døra og gikk inn i den opplyste gangen. Av en eller annen grunn låste jeg døra etter meg, noe jeg ikke har gjort siden jeg flytta hit. Jeg likte ikke at jeg gjorde det, men jeg gjorde det likevel. Jeg kledde av meg og la meg i senga under dyna og stirra opp i taket og venta på at varmen skulle komme. Jeg følte meg litt dum. Så lukka jeg øynene. En eller annen gang mens jeg sov, begynte det å snø, og jeg er sikker på at jeg visste det, i søvnen, at været slo om og ble kaldere, og jeg visste at jeg frykta vinteren, og jeg frykta snøen hvis det ble mye av den, og at jeg hadde satt meg i en umulig situasjon ved å flytte hit. Så da drømte jeg innbitt om sommer og hadde den fortsatt i hodet da jeg våkna. Jeg kunne drømt om hvilken som helst sommer, men jeg gjorde ikke det, det ble en helt spesiell sommer, og jeg tenker på den fortsatt mens jeg sitter her ved kjøkkenbordet og ser lyset komme over trærne mot sjøen. Ingenting ser ut som det gjorde i natt, og jeg kan ikke komme på noen grunn til at jeg låste døra. Jeg er trøtt, men ikke så trøtt som jeg var redd for. Jeg holder til kvelden, det kjenner jeg på meg. Jeg reiser meg fra bordet, litt stivt, den ryggen er ikke hva den var, og Lyra løfter hodet ved ovnen og ser på meg. Skal vi ut igjen? Vi skal ikke det, ikke ennå. Jeg har nok med denne sommeren som plutselig begynner å plage meg. Det har den ikke gjort på mange år.

2

Vi skulle ut og stjæle hester. Det var det han sa da han sto foran døra til seterhytta jeg bodde i sammen med faren min den sommeren. Jeg var femten år. Det var i 1948 og en av de første dagene i juli. Tre år før hadde tyskerne reist fra landet, men jeg kan ikke huske at vi snakka om dem lenger. I hvert fall gjorde ikke faren min det. Han sa aldri noe om krigen.

Jon kom ofte på døra vår, både tidlig og seint, og ville ha meg med ut; for å skyte harer, for å gå gjennom skauen i det bleike månelyset helt opp til åsen når det var dørgende stille, for å fiske etter ørret i elva, for å balansere på de gulglinsende tømmerstokkene som fortsatt kom seilende med strømmen like ved hytta vår lenge etter at sluttrensken var ferdig. Det var farlig, men jeg sa aldri nei og sa aldri noe til faren min om hva vi holdt på med. Vi kunne se et stykke av elva fra kjøkkenvinduet, men det var ikke der vi gjorde kunststykkene våre. Vi starta alltid lenger ned, en kilometer nesten, og noen ganger gikk det så fort og så langt på stokkene at vi brukte en time på å gå tilbake gjennom skauen når vi til slutt var kommet på land igjen, klissvåte og skjelvende.

Jon ville ikke være sammen med andre enn meg. Han hadde to yngre brødre, tvillingene Lars og Odd, men han og jeg var like gamle. Jeg veit ikke hvem han var sammen med resten av året når jeg var i Oslo. Det sa han aldri noe om, og jeg sa aldri noe om hva jeg gjorde der inne.

Han banka ikke på, kom bare stille opp stien fra elva, der den lille båten hans lå ved bredden, og ble stående foran døra og vente til jeg forsto at han var der. Det tok sjelden lang tid. Til og med tidlig på morgenen, når jeg fortsatt sov, kunne jeg plutselig kjenne en uro langt inne i drømmen, som om jeg måtte på do og kjempa for å våkne før det var for seint, og når jeg så slo øynene opp og skjønte at det var ikke *det* jeg skulle, gikk jeg rett bort til døra og åpna, og da sto han der. Han smilte så vidt og myste som han alltid gjorde.

– Blir du med? sa han. – Vi skal ut og stjæle hester.

Det viste seg at *vi* var bare han og jeg som vanlig, og var ikke jeg blitt med, ville han ha vært aleine, og det hadde ikke blitt noe gøy. Dessuten var det vanskelig å stjæle hester aleine. Umulig, faktisk.

– Har du stått her lenge? sa jeg.

– Jeg kom nå.

Det sa han bestandig, og jeg visste ikke alltid om det var sant. Jeg sto på terskelen i bare underbuksa og så over skulderen hans. Det var flak av tåke over elva og lyst allerede og litt kaldt. Det kom til å gi seg i løpet av noen minutter, men nå kjente jeg gåsehuden bre seg på låra og på magen. Likevel ble jeg stående og se ned på elva og så den komme blank og mjuk ut av disen og svingen litt høyere opp og strømme forbi. Jeg kunne den utenat. Jeg hadde drømt om den hele vinteren igjennom.

– Hvilke hester da? sa jeg.

– Barkald sine. De går løst inne i hamna i skauen bak gården.

– Jeg veit det. Kom inn mens jeg kler på meg.

– Jeg står her, sa han.

Han ble aldri med inn, kanskje på grunn av faren min. Han snakka aldri med faren min. Hilste ikke på han. Så bare rett ned i bakken når de passerte hverandre på veien til butikken. Da pleide faren min stanse og snu seg og se etter han og si:

– Var ikke det Jon?

– Jo, sa jeg.

– Hva er det i veien med han? sa faren min hver gang, liksom ille berørt, og hver gang svarte jeg:

– Jeg veit ikke.

Og det gjorde jeg faktisk ikke, og jeg tenkte aldri på å spørre. Nå sto Jon på trammen, som bare var ei steinhelle, og stirra ned på elva mens jeg tok klærne mine fra ryggen av den ene kubbestolen og dro dem på meg så fort jeg kunne. Jeg likte ikke det at han måtte vente når han sto ute, enda jeg hadde døra åpen så han skulle se meg hele tida.

Det er klart jeg skulle ha forstått at det var noe spesielt med denne morgenen i juli, noe med tåka over elva og disen mot åsen kanskje, noe i det hvite lyset på himmelen, noe i måten Jon sa det han hadde å si eller måten han bevegde seg på eller sto der rett opp og ned på steinhella. Men jeg var bare femten år, og det eneste *jeg* la merke til var at han ikke hadde børsa han alltid gikk og dro på i tilfelle en hare skulle komme flygende, og det var vel ikke så merkelig, på hestejakt

23

ville den bare være i veien. Vi skulle jo ikke skyte hestene heller. Så vidt jeg kunne se var han som han alltid var; rolig og intens på samme tid med sine mysende øyne, konsentrert om det vi skulle gjøre uten å vise noe tegn til utålmodighet. Det var fint for meg, for det var ingen hemmelighet at i forhold til han var jeg en sinke i det meste vi holdt på med. Han hadde årelang trening. Bare rittet ned elva var jeg virkelig god til, jeg hadde en innebygd balanse, som et naturtalent, mente Jon, sjøl om det ikke var akkurat det ordet han brukte.

Det han hadde lært meg var å gi faen, lært meg at om jeg slapp meg løs og ikke tenkte så mye på forhånd at jeg begynte å bremse, kunne jeg få til ting jeg aldri ville drømt om.

– OK. Klar, ferdig, gå, sa jeg.

Vi gikk sammen ned stien til elva. Det var tidlig. Sola glei opp over åsen med ei vifte av lys og ga alt omkring oss en helt ny farge, og det som var av tåke, smelta over vannet og ble borte. Jeg kjente den plutselige varmen gjennom genseren og lukka øynene og gikk videre uten å trå feil en eneste gang til jeg visste vi var kommet til bredden. Der åpna jeg øynene igjen og klatra ned på de reinvaska rullesteinene og satte meg bakerst i den lille båten. Jon skøyv fra og hoppa etter, tok årene og rodde med korte, harde tak skrått over det strømmende vannet, lot båten drive et stykke og rodde igjen til vi traff den motsatte bredden cirka femti meter lenger ned. Akkurat så langt at båten ikke var synlig fra hytta.

Så klatra vi opp den lille hellinga, Jon først og jeg etter, og gikk langs piggtrådgjerdet ved enga der graset sto høyt under flortynne tepper av dis og skulle snart slås og henges på hesjer og tørkes til høy i sola. Det var som å gå i vann opp til hoftene, men uten motstand, som i en drøm. Jeg drømte ofte om vann, jeg var venner med vann.

Det var Barkald si eng, og vi hadde gått denne ruta mange ganger, opp mellom jordene til veien mot butikken for å kjøpe blader eller karameller eller andre ting vi hadde penger til; ettøringer, toøringer og noen få ganger femøringer ringlende i lomma for hvert skritt vi tok, eller vi gikk hjem til Jon i motsatt retning hvor mora hans alltid hilste helt overstrømmende når vi kom inn gjennom døra som var jeg landets kronprins eller noe i den stilen, mens faren hans dukka ned i lokalavisa eller forsvant ut på låven i et ærend som plutselig ikke kunne vente. Det var noe der som jeg ikke forsto. Men det plagde meg ikke. For min del kunne han gjerne bli ute på låven. Jeg ga faen. Når sommeren var over, dro jeg uansett hjem.

Gården til Barkald lå på den andre sida av veien, bak noen jorder der han sådde havre og bygg annethvert år, helt opp mot skauen med låven i vinkel, og i skauen hadde han de fire hestene gående på et stort område han hadde gjerda inn med piggtråd, fra tre til tre i to høyder. Det var han som eide skauen, og det var mye av den. Han var den største grunneieren i området. Ingen av oss kunne fordra mannen, men jeg er ikke helt sikker på hvorfor. Han hadde aldri gjort oss noe eller sagt et uvennlig ord som jeg visste om. Men han hadde en stor gård, og Jon var sønn av en småbruker. Nesten alle var småbrukere langs elva i denne dalen bare noen få kilometer fra grensa til

25

Sverige, og de fleste levde fortsatt av det de produserte på gårdene og den melka de leverte til meieriet, og som tømmerhoggere i skauen når det var sesong for det. I Barkald sin skau blant annet, og i den som en rik jævel fra Bærum eide; tusener på tusener av mål mot nord og mot vest. Penger var det ikke mye av, ikke som jeg la merke til. Kanskje Barkald hadde en del, men faren til Jon hadde ingen, og faren *min* hadde slett ingen, ikke som jeg visste om i hvert fall. Så hvordan han fikk skrapt sammen nok til å kjøpe den setra vi bodde på den sommeren, er fortsatt et mysterium. For å være helt ærlig var jeg ikke alltid klar over hva det var faren min gjorde for å tjene penger til livets opphold; til sitt liv, og til mitt, blant andre, for det forandra seg ofte, men alltid var det mange slags verktøy involvert, og små maskiner, og noen ganger mye planlegging og tenking med blyant i hånda og reising til alle mulige steder i landet, hvor jeg aldri hadde vært og ikke kunne forestille meg hvordan så ut, men han sto ikke lenger på noen si lønningsliste. Ofte var det mye å gjøre, andre ganger mindre, men uansett hadde han fått tak i penger så det holdt, og da vi kom dit den første gangen året før, gikk han rundt og kikka og smilte finurlig og klappa på trær og satt på en stor stein ved elvebredden med haka i hånda og så ut over vannet som om alle ting var gamle kjente. Men det kunne de vel ikke ha vært.

Jon og jeg kom ut fra stien over enga og gikk ned veien, og enda vi hadde gått her så mange ganger før, var det annerledes nå. Vi skulle ut og stjæle hester, og vi visste at det syntes. Vi var kriminelle. Det forandra folk, det forandra noe i blikket deres og ga dem en egen måte å gå på som ingen kunne gjøre noe med. Og det å stjæle hester var det verste av alt. Vi kjente loven vest for Pecos, vi hadde jo lest i cowboybladene, og sjøl om en kanskje kunne si at vi var *øst* for Pecos, var det så langt øst at en likså godt kunne si det omvendte, for det kom jo an på hvilken vei du valgte å se verden, og med den loven var det ingen bønn. Ble du tatt, var det rett opp i et tre med et reip rundt halsen; grov hamp mot den mjuke huden, noen slo hesten på baken og så forsvant den under beina dine, og du løp for livet i løse lufta mens nettopp livet ditt passerte i revy med svakere og svakere bilder til bildene ble tomme for deg sjøl og alt du hadde sett, og fulle av tåke, og til slutt ble de svarte. Bare femten år, tenkte du som det siste, det var ikke mye, og det for en hest, og så var alt så altfor seint. Huset til Barkald lå tungt og grått ved skaukanten, og det virka mer truende enn noen gang. Vinduene var mørke så tidlig på morgenen, men kanskje sto han der inne og kikka ned på veien og så måten vi gikk på og *visste*.

Men nå kunne vi ikke snu. Vi gikk et par hundre meter ned grusveien på ganske stive bein, til huset var borte bak en sving, og så opp en sti igjen over enda ei eng som også var Barkald sin, og inn i skauen. Først var det mørkt og tett mellom granleggene uten undervekst av noe slag og bare djupgrønn mose på bakken i et stort teppe det var mjukt å gå på, for lyset rakk aldri helt inn her, og vi fulgte hverandre langs stien og kjente det gynge hver gang vi satte føttene ned. Jon først og jeg etter på tynnslitte turnskosåler, og så tok vi av så det ble som en sirkel, stadig mot høyre, og sakte kom lyset og åpninga over oss til det plutselig blinka i den dobbelte piggtråden, og da var vi framme. Vi så inn på et hogstfelt der alt var rydda bort unntatt frøfuru og bjørk som sto merkelig høye og ensomme uten ryggdekning, og noen av dem hadde ikke greid seg mot vinden fra nord og lå velta overende så lange de var med røttene i været. Men mellom stubbene vokste graset saftig og tett, og bak noen busker et stykke fram, så vi hestene stå med bare rompene synlige og halene svingende mot fluer og klegg. Vi kjente lukta av hestemøkk og myrvåt mose og den søte, skarpe, altomfattende lukta av det som var større enn oss sjøl og hva vi kunne fatte; av skauen som bare fortsatte og fortsatte mot nord og innover i Sverige og over til Finland og videre hele veien til Sibir, og du kunne bli borte i denne skauen og hundre folk gå manngard i uker og ikke ha sjangs til å finne deg, og det var vel ikke det verste, tenkte jeg, å bli borte her, men jeg visste ikke hvor alvorlig den tanken var.

Jon bøyde kroppen og ålte seg mellom de to piggtrådene med hånda pressa mot den nederste, mens jeg la meg på bakken og rulla meg under, og begge kom vi igjennom uten en rift i hverken bukse eller genser. Vi reiste oss forsiktig og gikk gjennom graset mot hestene.

– Den bjørka der, sa Jon og pekte, – kom deg opp i den. Det sto ei stor og enslig bjørk der ikke langt fra hestene, med kraftige greiner, og den nederste av dem drøye tre meter over bakken. Jeg gikk sakte, men uten å nøle bort til bjørka. Hestene løfta hodene og vrei dem mot meg der jeg gikk, men de ble stående og tygge, og løfta ikke en hov. Jon gikk rundt dem i sirkel fra den andre sida. Jeg sparka turnskoa av meg, la

28

begge hender bak bjørka og fikk feste i den sprukne barken og spente imot først med den ene foten, og så løfta jeg den andre og satte den også plent imot stammen, og sakte klatra jeg apeaktig opp til jeg fikk den venstre hånda rundt greina, og jeg lente meg over og fikk tak med den høyre og lot føttene gli av den rue stammen, og så hang jeg etter hendene et øyeblikk før jeg heiste meg opp og *satt* der med dinglende bein. Jeg kunne sånt den gangen.

– OK, ropte jeg lavt. – Klar.

Jon satt på huk nesten rett foran hestene og snakka til dem med lav stemme, og de sto helt stille med hodene mot han og ørene stivt pressa fram og lytta til det som nesten var ei hvisking. Jeg kunne i hvert fall ikke høre hva han sa der jeg satt på greina, men da jeg hadde ropt mitt «ok», spratt han plutselig opp og ropte:

– Hoi! og slo ut med armene, og hestene kasta seg rundt og begynte å løpe. Ikke så fort, men ikke så sakte heller, og to skjente ut imot venstre, og to kom rett imot bjørka mi.

– Vær beredt, ropte Jon og slengte tre fingrer i været som i speiderhilsen.

– Alltid beredt, ropte jeg tilbake, vrei meg rundt og la magen mot greina, holdt balansen med hendene og skreva med beina som ei saks i løse lufta. Jeg kjente ei svak dirring i brystet fra hovene mot bakken og opp gjennom treet og ei skjelving fra et helt annet sted, fra inne i meg sjøl, og den starta i magen og satte seg i hoftene. Men det var ikke noe jeg kunne gjøre med det, og jeg tenkte ikke på det. Jeg var klar.

Og så kom hestene. Jeg hørte den hivende pusten,

og dirringa i treet ble sterkere, og lyden fra hovene fylte hodet mitt, og idet jeg så vidt så mulen av den nærmeste under meg, glei jeg av greina med beina stivt ut til sidene, og jeg slapp med hendene og landa på hesteryggen litt for høyt opp mot nakken, og skulderknokene slo mot skrittet og sendte en stråle av kvalme opp gjennom halsen. Det så så lett ut når Zorro gjorde det på film, men nå rant tårene, og jeg måtte brekke meg og samtidig holde et fast grep i manen med begge hender, og jeg la meg framover og pressa munnen hardt igjen. Hesten kasta spinnvilt med hodet og ryggen dunka mot skrittet mitt, og den slo om i strak galopp, og den andre hesten gjorde det samme, og sammen dundra vi bort mellom stubbene. Jeg hørte Jon rope:

– Yihaa! bak meg, og jeg ville rope sjøl, i triumf skulle det være, men jeg fikk det ikke til, halsen var så fylt av oppkast at jeg kunne ikke puste, og da åpna jeg munnen og lot det renne mot nakken under meg. Nå lukta det litt av spy og sterkt av hest, og jeg hørte ikke lenger stemmen til Jon. Det suste, og hovslagene ble fjerne, og hesteryggen slo gjennom kroppen som slagene fra hjertet mitt, og så kom en plutselig stillhet omkring meg som strakte seg ut over alt, og gjennom den stillheten hørte jeg fuglene. Jeg hørte svarttrosten tydelig fra toppen av ei gran, og helt klart hørte jeg lerka høyt oppe og flere andre fugler jeg ikke visste navnet på, og det var så merkelig, det var som en film uten lyd med en annen lyd lagt på, jeg var to steder samtidig, og ingenting gjorde vondt.

– Yihaa! skreik jeg, og hørte stemmen min godt, men det var som den kom fra et annet sted, fra det store rommet hvor fuglene sang, et fugleskrik fra inne i den stillheten, og et øyeblikk var jeg helt lykkelig. Brystet mitt vida seg ut som belgen på et trekkspill, og hver gang jeg pusta, kom det toner. Og så blinka det mellom trærne foran meg, det var piggtråden, vi hadde galoppert tvers over hamna, og vi nærma oss gjerdet på den andre sida i stor fart, og hesteryggen dunka hardt imot skrittet igjen, og jeg klamra meg fast og tenkte: Nå hopper vi. Men vi hoppa ikke. Rett før piggtråden tverrvendte begge hestene, og fysiske lover reiv meg av ryggen og sendte meg sprellende videre i rett linje, gjennom lufta og så vidt over gjerdet. Jeg kjente piggtråden rive i ermet på genseren og en sviende smerte, og så lå jeg i lyngen, og all luft forsvant med et støt ut av kroppen.

Jeg trur jeg var borte noen sekunder, for jeg husker at jeg åpna øynene som til en ny begynnelse; ingenting jeg så var kjent, hjernen var tom, ingen tanker, alt helt reint og himmelen gjennomsiktig blå, og jeg visste ikke hva jeg het og kunne ikke engang kjenne kroppen min. Jeg fløyt navnløs rundt og så verden for første gang og syntes den var merkelig gjennomlyst og glassaktig vakker, og så hørte jeg et vrinsk og trommende hover, og da kom alt tilbake som en svirrende bumerang og traff meg i panna med et smell, og jeg tenkte, faen, jeg er blitt lam. Jeg så ned på de nakne føttene mine som stakk opp av lyngen, og det gikk ingen streng mellom dem og meg.

Jeg lå fortsatt helt stille da jeg så Jon komme opp mot gjerdet på hesteryggen med et tau rundt mulen på hesten, og med det kunne han styre. Han stoppa rett på den andre sida med et rykk i tauet, og hesten stilte

31

seg nesten sidelengs helt inntil piggtråden. Han så ned
på meg.

– Ligger du der, sa han.

– Jeg er lam, sa jeg.

– Det trur jeg ikke, sa han.

– Nei vel, sa jeg. Jeg så ned på føttene mine igjen.
Og så reiste jeg meg. Det gjorde vondt, i ryggen og
ned langs den ene sida, men ingenting inni var øde-
lagt. Jeg blødde friskt fra et kutt i underarmen og ut
gjennom genseren som hadde ei stor flenge akkurat
der, men det var alt. Jeg reiv av det som var igjen av
ermet og knytta det rundt armen med låret som
støtte. Det svei noe skikkelig. Jon satt like rolig på
hesten. Nå så jeg at han hadde turnskoa mine i den
ene hånda.

– Skal du opp igjen, sa han.

– Jeg trur ikke det, sa jeg, – jeg har vondt i rompa,
enda det var ikke akkurat der jeg hadde mest vondt,
og jeg syntes nok Jon smilte litt da, men jeg var ikke
sikker, for jeg hadde sola i ansiktet. Han glei av heste-
ryggen og løsna tauet rundt mulen, og med en hånd-
bevegelse sendte han hesten av gårde. Den var mer
enn villig.

Jon kom ut gjennom gjerdet på samme måte som
han kom seg inn; lett på foten, ikke en rift noe sted.
Han kom bort til meg og slapp turnskoa i lyngen.

– Kan du gå? sa han.

– Jeg trur det, sa jeg. Jeg stakk føttene i skoa uten å
knyte lissene så jeg slapp å bøye meg, og så gikk vi
videre inn i skauen. Jon først og jeg etter: øm i skrit-
tet, med stiv rygg, det ene beinet litt på slep og den
ene armen godt klemt inntil kroppen, stadig djupere

32

inn mellom trærne, og jeg tenkte på det at jeg kanskje ikke orka å gå hele veien tilbake når den tida kom. Og så tenkte jeg på faren min som hadde bedt meg slå graset bak seterhytta ei uke før. Graset var blitt altfor høyt og ville bare legge seg og stivne til ei vissen matte ingenting kunne gro igjennom. Jeg kunne bruke den korte ljåen, sa han, som lå lettere i hånda for en amatør. Jeg henta ljåen i skjulet og gikk på med det jeg hadde av krefter og herma bevegelsene jeg hadde sett faren min gjøre når han gjorde det samme, og jeg slo til jeg ble god og svett, og det gikk faktisk ikke så verst sjøl om ljåen var et redskap jeg var uvant med å bruke. Men langs hytteveggen i et stort felt vokste brenneslene høyt og tett, og jeg slo meg forbi dem i en stor bue, og så kom faren min rundt hytta og ble stående og kikke på meg. Han holdt hodet på skakke mens han gnei hånda mot haka, og jeg retta ryggen og venta på det han skulle si.

– Hvorfor slår du ikke brenneslene, sa han.

Jeg så ned på det korte ljåskaftet og bort på de høye neslene.

– Det gjør vondt, sa jeg. Da så han halvsmilende på meg og rista svakt på hodet.

– Du bestemmer sjøl når det skal gjøre vondt, sa han og var med ett alvorlig og gikk bort til hytteveggen og tok tak i de sviende plantene med nakne hender og begynte helt rolig å dra dem opp, én etter én, og kasta dem i en haug, og han ga seg ikke før han hadde fått opp alle sammen. Ingenting i ansiktet hans fortalte at det gjorde vondt, og jeg skamma meg litt der jeg gikk på stien etter Jon, og jeg retta meg opp og slo om takten og gikk som jeg ellers ville gått, og etter

33

bare noen skritt forsto jeg ikke hvorfor jeg ikke hadde gjort det med én gang.

– Hvor skal vi, sa jeg.

– Jeg skal vise deg noe, sa han. – Det er ikke så langt.

Sola sto høyt på himmelen nå, det var varmt mellom trærne, det lukta varmt, og fra alle steder i skauen kom det lyder; av vinger som slo, av greiner som bøyde seg og kvister som knakk, av hauken når den skreik og en hares siste sukk og det stille drønnet hver gang en bie traff en blomst. Jeg hørte maurene kravle i lyngen, og stien vi gikk på steig med åsen, jeg trakk pusten djupt gjennom nesa og tenkte at uansett hvordan livet en gang skulle bli og hvor langt vekk jeg reiste, ville jeg alltid huske dette stedet som det var akkurat nå, og savne det. Da jeg snudde meg, så jeg utover dalen gjennom et gitter av furu og gran, jeg så elva bukte seg og glitre der nede, jeg så det teglrøde taket på Barkald si sag litt lenger sør ved elvebredden og flere små bruk på de grønne flekkene langs den smale stripa av vann. Jeg kjente familiene som bodde der og visste hvor mange de var i hvert hus, og om jeg ikke så hytta vår på den motsatte bredden, kunne jeg peke ut nøyaktig bak hvilke trær den lå, og jeg lurte på om faren min sov ennå, eller om han gikk rundt og kikka og funderte på hvor jeg var blitt av, uten å være redd, om jeg kom hjem snart, om han kanskje skulle begynne å lage frokost, og plutselig kjente jeg hvor sulten jeg var.

– Her er det, sa Jon, – der. Han pekte mot ei stor gran litt til side for stien. Vi sto stille.

– Den er stor, sa jeg.

34

– Det er ikke dét, sa Jon. – Kom. Han gikk bort til grana og begynte å klatre. Det var ikke vanskelig, de nederste greinene var kraftige og lange, hang tungt ned og var lette å få tak i, og på én to tre var han flere meter oppe, og jeg fulgte etter. Han klatra fort, men etter ti meter cirka stoppa han og ble sittende og vente til vi var på høyde, og det var god plass, vi kunne fint sitte ved sida av hverandre på hver vår tjukke grein. Han pekte mot et punkt litt ut på den greina han satt på, der den delte seg i to. Ned fra splitten hang et fuglereir, som ei djup skål, eller et kremmerhus nesten. Jeg hadde sett mange reir, men aldri ett som var så lite, med en sånn letthet, så perfekt forma av mose og fjær. Og det hang ikke. Det svevde.

– Det er fuglekongen, sa Jon lavt. – Kull nummer to. Han bøyde seg fram og strakte hånda mot reiret og stakk tre fingrer ned i den fjærdekte åpninga og kom opp med et egg som var så lite at jeg bare ble sittende og glane. Han balanserte egget mellom fingertuppene og holdt det mot meg så jeg kunne studere det på kloss hold, og det gjorde meg svimmel å se på og tenke at om bare noen uker var den bitte lille, så vidt ovale kula forvandla til en levende fugl med vinger som kunne slippe seg fra greiner høyt oppe og styrte ned og likevel aldri treffe bakken, men med instinkt og vilje skyte ut og oppheve tyngdekraften. Og jeg sa det høyt:

– Fy fader, sa jeg, – det er snålt at noe så lite skal bli levende og bare fly av gårde, og det var kanskje ikke så godt sagt og var mye mindre enn den susende, luftige følelsen jeg kjente inni meg. Men det skjedde noe i det øyeblikket som jeg ikke hadde mulighet til å forstå, for da jeg løfta blikket og så opp i ansiktet til Jon, var det stramt og helt hvitt. Om det var de få orda jeg hadde sagt, eller det var egget han holdt, får jeg aldri vite, men *noe* var det som fikk han til å forandre seg så plutselig, og han så meg rett inn i øynene som om han aldri hadde sett meg før, og for en gangs skyld myste han ikke, og pupillene var store og svarte. Og så åpna han hånda og slapp egget. Det falt langs stammen, og jeg fulgte det med øynene og så det treffe en av greinene lenger ned og knuse og løse seg opp i små lyse biter som svirra til alle sider, og de dalte som snøfnugg nesten helt uten vekt og ble bare sakte borte. Eller det er sånn jeg husker det, og jeg kunne ikke komme på at noe hadde gjort meg så fortvila noen gang. Jeg så opp på Jon igjen, og da hadde han allerede bøyd seg fram, og med den ene hånda reiv han reiret løs fra splitten i greina, holdt det framfor seg på strak arm og moste det til pulver mellom fingrene bare noen centimeter fra øynene mine. Jeg ville si noe, men jeg fikk ikke fram et ord. Jons ansikt var ei kritthvit maske med åpen munn, og fra den munnen kom det lyder som fikk det til å ise langs ryggen, jeg hadde aldri hørt noe liknende; strupelyder som fra et dyr jeg ikke hadde sett noen gang og ikke hadde noe ønske om å se. Han åpna hånda igjen og smelte håndflata i trestammen og gnei den mot barken, og det dryssa i små flak, og til slutt var det bare noe klin jeg ikke greide å se på. Jeg lukka øynene og holdt dem sånn, og da jeg åpna dem igjen, var Jon på god vei ned. Han nesten sklei fra grein til grein, jeg så rett ned i det strie, brune håret hans, og han så ikke opp en eneste gang. De siste meterne bare slapp han seg, og han landa på fast grunn med et dunk jeg hørte helt opp til der jeg satt, og så falt han på kne som en tomsekk og slo panna i bakken, og sånn ble han sittende sammen-krøkt i noe som virka som en evighet, og i hele den evigheten holdt jeg pusten uten å røre meg av flekken. Jeg forsto ikke hva som hadde skjedd, men jeg følte det var min skyld. Jeg visste bare ikke hvorfor. Til slutt reiste han seg stivt opp og begynte å gå ned stien. Jeg slapp lufta ut og trakk den sakte inn igjen, det peip i brystet, jeg hørte det tydelig, det hørtes ut som astma. Jeg kjente en mann som hadde astma, han bodde rett borti veien for oss hjemme i Oslo. Det hør-tes sånn ut når han pusta. Jeg har fått astma, tenkte jeg, fy faen, det er sånn en får astma. Når noe skjer. Og så begynte jeg å klatre ned, ikke så fort som Jon, men mer som om hver grein var et landemerke jeg måtte holde hendene på lenge for ikke å gå glipp av en eneste ting som var viktig, og hele tida *tenkte* jeg på å puste.

Var det da væromslaget kom? Jeg trur det. Jeg sto på stien, Jon var ingen steder å se, forsvunnet den veien vi kom, og plutselig hørte jeg det suse over meg i trærne. Jeg så opp og så grantoppene svaie og piske mot hverandre, jeg så høye furuer bøye seg i vinden, og under føttene kjente jeg skogbunnen bølge. Det var som å stå på vannet, det gjorde meg svimmel, og jeg så meg omkring etter noe å holde fast i, men alt var i bevegelse. Himmelen som nettopp hadde vært så gjennomsiktig blå, var stålgrå nå med et sykelig gult lys over åsen på den andre sida av dalen. Og så blinka det kraftig over åsen. Like etter smalt det så jeg kjente det i hele kroppen, jeg kjente temperaturen falle brått, og jeg kjente i armen at det gjorde vondt der hvor piggtråden hadde kutta meg opp. Jeg begynte å gå så fort jeg kunne på grensa til å løpe, ned stien vi var kommet opp, mot hamna med hestene. Da jeg kom fram dit så jeg inn over piggtråden mellom trærne, men det var ingen hester der nå som var synlige for meg, og et øyeblikk tenkte jeg på å ta snarveien tvers igjennom, men så gikk jeg i stedet langs gjerdet på utsida hele sirkelen rundt til jeg traff på stien mot veien. Der svingte jeg til venstre og begynte å løpe nedover, og det blåste ikke lenger, men var dirrende stille i skauen, og den nyoppdaga astmaen klemte brystet mitt flatt.

Jeg sto på veien. De første dråpene traff meg i panna. Et stykke lenger fram så jeg ryggen til Jon. Han hadde ikke løpt, han var for nærme til det, og han gikk ikke fort, og han gikk ikke sakte heller. Han bare gikk. Jeg tenkte jeg skulle rope på han og be han vente, men jeg var ikke sikker på om pusten min holdt. Dessuten var det noe med den ryggen som fikk meg til å holde inne, så jeg begynte å gå etter han og holdt samme avstand mellom oss hele veien, opp forbi gården til Barkald der vinduene var tydelig opplyste nå mot den mørke himmelen over, og jeg lurte på om han sto der inne og så ned på oss og forsto hvor vi hadde vært. Jeg så opp i lufta og håpte at det kanskje ble med de dråpene jeg hadde kjent, men plutselig blinka det over åsen igjen og smalt i samme sekund. Jeg hadde aldri vært redd for tordenvær, og jeg var ikke redd nå heller, men jeg visste at når lyn og torden kom så tett, kunne det slå ned hvor som helst omkring meg. Det var en spesiell følelse å gå der på veien uten ly av noe slag. Og så kom regnet mot meg som en vegg, og plutselig var jeg bak den veggen og var våt tvers igjennom på få sekunder, og jeg kunne vært naken, og det hadde ikke gjort noen forskjell. Hele verden ble grå av vann, og det var så vidt jeg kunne skimte Jon som gikk der hundre meter foran meg. Men jeg trengte ikke han til å vise vei, jeg visste hvor jeg skulle gå. Jeg tok av på stien gjennom enga til Barkald, og var jeg ikke våt fra før, ville det høye graset gjort buksa mi klissen og tung. Men nå spilte det ingen rolle. Jeg tenkte, nå må Barkald vente flere dager med å slå, sånn at graset kan tørke. Du kan ikke slå vått gras. Og jeg lurte på om han ville be faren min og meg om hjelp i høyonna som han hadde gjort det året før, og jeg lurte på om Jon hadde tatt båten og rodd over elva aleine, eller om han venta på meg ved bredden. Jeg kunne gå tilbake opp veien mot butikken og over brua og ned igjen på andre sida gjennom skauen, men det var langt og tungt. Eller jeg kunne svømme over. Det var sikkert kaldt nå, og stri strøm. Jeg kjente jeg frøys i de våte klærne, at det ville vært bedre uten dem. Jeg stoppa på stien og begynte å dra av meg genseren og skjorta. Det var ikke lett, for de klistra til kroppen, men jeg fikk dem til slutt av og rulla dem sammen til en bylt under armen. Alt var så vått nå at det nesten var latterlig, og regnet slo mot den nakne overkroppen min og gjorde meg merkelig varm. Jeg strøyk meg over huden med hånda, og da følte jeg nesten ingenting i det hele tatt, både huden og fingrene var numne, og jeg kjente jeg ble trøtt, og søvnig, at det ville vært fint å kunne legge seg ned bare littegrann og lukke øynene. Jeg gikk noen skritt fram. Jeg dro vann fra ansiktet med hånda. Jeg var litt svimmel. Og så sto jeg rett ved elva, og jeg hadde ikke hørt den. Foran meg i robåten satt Jon. Håret hans som vanligvis sto rett opp i stive tuster, lå klissvått og flatt mot skallen. Han så på meg gjennom regnet mens han skåta og holdt akterenden av båten mot bredden, men han sa ingenting.

– Hei, sa jeg, og gikk klossete ned de siste meterne over de glatte, runde steinene. Jeg snubla én gang, men jeg falt ikke, og jeg kom meg over i båten og satte meg på den bakerste tofta. Han begynte å ro så fort jeg var ombord, og det var tungt, jeg kunne se det, for strømmen var mot oss, og vi kom bare sakte av gårde. Han ville ro meg helt hjem, enda han sikkert var sliten. Sjøl bodde han nedstrøms, og jeg ville si at det ikke var nødvendig, at han bare kunne ro meg rett over, jeg kunne gå den siste biten sjøl. Men jeg sa ingenting. Jeg orka ikke.

Endelig var vi framme. Med et krafttak snudde Jon båten og skåta oss inntil så jeg bare kunne gå rett i land. Og jeg gjorde det, jeg gikk i land og ble stående på bredden og se på han.

– Ha det bra, sa jeg, – ser deg i morgen, men han svarte ikke. Bare løfta årene fra vannet og lot båten drive mens han stirra tilbake med et smalt blikk jeg allerede da visste at jeg aldri ville glemme.

3

Vi hadde kommet ut fjorten dager før, faren min og jeg, med toget fra Oslo, og så videre med bussen fra Elverum i time etter time. Den bussen stoppa etter et system jeg aldri forsto, men den stoppa i hvert fall ofte, og noen ganger sovna jeg i solsteika på det varme setet, og når jeg våkna igjen og så ut av vinduet, var det som om vi ikke var kommet en millimeter videre, for det jeg så var det samme jeg hadde sett *før* jeg sovna; en svingende grusvei med jorder på begge sider og gårder med hvitmalte våningshus og rødmalte låver, og noen var små og noen litt større, og kuer bak piggtrådgjerder helt ned til veien der de lå i graset og drøvtygde med halvlukka øyne i sola, og nesten alle var brune og bare noen var flekka i hvitt over brunt eller svart, og så skauen bak gårdene med skygger i blått opp mot en ås som uavlatelig var den samme.

Den turen tok omtrent hele dagen, og det rare er at jeg ikke syntes det var kjedelig. Jeg likte å se ut av vinduet til øyelokkene ble tunge og varme, og jeg sovna og våkna igjen og så ut av vinduet for tusende gang eller mer enn det, eller jeg snudde meg og så bort på faren min som hele reisa satt med nesa i ei bok om noe teknisk, noe om husbygging eller maskiner, om motorer, han hadde dilla på alt det der. Da løfta han hodet og så på meg og nikka og smilte, og jeg smilte tilbake, og så dukka han ned igjen, tilbake i boka. Og jeg sovna og drømte om varme ting, mjuke ting, og da jeg våkna den siste gangen, var det fordi faren min rista meg i skulderen.

– Hei sjef, sa han, og jeg slo øynene opp og så meg omkring. Bussen sto stille med motoren slått av i skyggen av den store eika foran butikken. Jeg så gangveien bort til brua over elva, og elva rant smal akkurat her og falt brusende ned et lite stryk, og den lave sola glitra på skumtoppene. Nå skulle vi ut som de siste. Det var endeholdeplassen. Det var ikke mulig å komme lenger, resten måtte vi gå, og jeg tenkte at det var typisk faren min, at han tok meg med så langt som det gikk an og det fortsatt het Norge, og jeg stilte ingen spørsmål om hvorfor nettopp *hit*, for det var som om han satte meg på prøve, og det hadde jeg ingenting imot. Jeg stolte på faren min.

Vi tok sekkene våre og utstyret fra plattinga bak i bussen og begynte å gå ned mot brua. Midt utpå ble vi stående og stirre ned i det strømmende, nesten grønne vannet, og vi holdt hardt i bambusfiskestengene, slo dem mot det nysnekra tregelenderet, og vi spytta i elva, og faren min sa:

– Bare vent du, Jakob!

Han kalte all fisk for Jakob, enten det var i den salte Oslofjorden hjemme med hele brystkassa over båtripa og ansiktet i et flir mot vannet, med en spøkefullt hyttende neve over djupet; bare vent du, Jakob, nå kommer vi og tar deg, eller i elva her som kom rennende i en halvsirkel over grensa fra Sverige og ned gjennom denne bygda og tilbake i Sverige noen få mil lenger sør. Og jeg husker at jeg året før hadde stirra ned i det virvlende vannet og lurt på om det på en eller annen måte var mulig å se eller kjenne eller smake at vannet egentlig var svensk og bare var til låns på denne sida av grensa. Men jeg var så mye yngre da og visste lite om verden, og det var jo bare en streiftanke. Vi sto på brua, faren min og jeg, og vi så på hverandre og smilte, og i hvert fall *jeg* kjente forventninga bre seg i magen.

– Hvordan går det, sa han.

– Fint, sa jeg, og greide ikke la være å le.

Nå kom jeg opp stien fra elva gjennom regnet. Bak meg satt Jon i robåten og seilte ned med strømmen. Jeg lurte på om han snakka høyt med seg sjøl, som *jeg* ofte gjorde når jeg var aleine. Beskreiv høyt hva jeg nettopp hadde gjort og vurderte for og imot og endte med å si at jeg ikke hadde hatt noe valg. Men det gjorde han sikkert ikke.

Jeg var iskald over hele kroppen, tennene skrangla i munnen. Under armen hadde jeg genser og skjorte, men det var for seint å ta dem på igjen. Det var mørkere på himmelen enn det vanligvis var om natta. Faren min hadde tent parafinlampa i hytta, det lyste gult og varmt fra vinduene, og fra pipa kom grå røyk virvlende opp som regnet umiddelbart slo mot taket, og vann og røyk rant sammen ned langs skifersteinene som en grå grøt. Det så merkelig ut.

Døra sto på gløtt. Jeg gikk helt bort til trammen og kjente lukta av stekt bacon sige ut gjennom den lysende sprekken. Jeg stoppa under det lille takutspringet. For første gang på lenge kom ikke regnet smellende mot hodet mitt. Jeg ble stående der et par minutter, og så åpna jeg døra helt og gikk inn. Faren min sto foran vedkomfyren og lagde frokost. Jeg sto foran terskelen og dryppa på fillerya. Han hørte meg ikke. Jeg visste ikke hvor mye klokka var, men jeg var sikker på han hadde venta i det lengste med maten. Over den rutete skjorta hadde han en gammel, hullete genser han likte å gå i når han ikke var på jobb. Han var skjeggete, han hadde ikke barbert seg siden vi kom. Hårete og fri, pleide han å si og stryke seg over haka. Der sto en mann jeg likte. Jeg hosta, og han snudde seg og så på meg med hodet på skakke. Jeg venta på det han skulle si.

– Jøss, det var en våt gutt, sa han.

Jeg nikka. – Ja, gitt, sa jeg mellom hakkende tenner.

– Bli stående der. Han dro steikepanna ut på kanten av svartovnen og gikk inn på soverommet og kom tilbake med et stort håndkle.

– Få av deg bukse og sko, sa han. Jeg gjorde som han sa. Det var ikke lett. Så sto jeg naken på fillerya. Jeg følte meg som liten gutt igjen.

– Kom bort hit til ovnen. Jeg gikk bort til ovnen. Han la to nye vedkubber inn og lukka den lille døra. Gjennom åpninga i spjeldet så jeg flammene slå opp, og det slo bølger av varme ut fra det svarte støpejernet, det gjorde nesten vondt mot huden. Så la han håndkleet rundt kroppen min og begynte å gni, forsiktig først og så hardere og hardere. Det var som om jeg holdt på å ta fyr, som når indianerne gnir to pinner mot hverandre for å tenne ild. Jeg var en stiv, tørr pinne, så ble jeg en glødende masse.

– Se her, hold litt sjøl, sa han. Jeg holdt håndkleet fast rundt skuldrene, og han gikk inn igjen på soverommet og kom ut med rein bukse, tjukk genser og sokker. Jeg kledde veldig sakte på meg.

– Er du sulten, sa han.

– Ja, sa jeg, og så sa jeg ikke mer på lenge. Jeg satte meg ved bordet. Han serverte stekt egg og bacon og brød han hadde bakt sjøl i den gamle ovnen, og han skar det i tjukke skiver og smurte margarin på. Jeg spiste alt han satte foran meg, og han satte seg og spiste sjøl. Vi hørte regnet slå mot taket, og det regna på elva og på robåten til Jon og på veien til butikken og på engene til Barkald, det regna over skauen og hestene i hamna og alle fuglereir i alle trær, over elg og over hare, og på alle tak i hele bygda, men inne i hytta var det varmt og tørt. Det knakte i ovnen, og jeg spiste til det var helt tomt på tallerkenen, og faren min spiste med et halvsmil om munnen som om det var hvilken morgen som helst, men det *var* jo ikke det, og så ble jeg plutselig trøtt og lente meg mot bordet og la hodet mot hendene, og der sovna jeg.

Da jeg våkna lå jeg under dyna i den nederste køya som egentlig var faren min sin plass. Jeg hadde alle klærne på. Sola skinte inn gjennom vinduet fra himmelen bak hytta, og da visste jeg at klokka var langt over tolv. Jeg slo dyna til side og svingte meg ut av senga og satte føttene på golvet. Jeg følte meg i fin form. Det var ømt langs den ene sida, men det var ikke noe jeg brydde meg om. Jeg gikk ut i stua. Døra sto vidåpen, og det var sol på tunet. Det glinsa vått i graset, og én meter over bakken lå et ullent teppe av damp i varmen. I vinduet surra ei flue. Foran skapet i det ene hjørnet sto faren min og tok varer ut av ryggsekken og satte dem på hyllene. Han hadde gått den lange veien til butikken og tilbake igjen mens jeg sov.

Han så meg med én gang og stoppa og ble stående med ei pose i den ene hånda. Det var helt stille, og han var helt alvorlig.

– Hvordan går det med deg, sa han.

– Fint, sa jeg. – Jeg føler meg fin.

– Det var bra, sa han, og så ble han stille, og så sa han:

– I morges, da du var ute, var du sammen med Jon da?

– Ja, sa jeg.

– Hva var det dere holdt på med?

– Vi skulle ut og stjæle hester.

– Hva *er* det du sier? Faren min så nesten oppskjørta ut. – Hvilke hester da?

– Barkald sine. Vi skulle jo ikke stjæle dem egentlig. Vi skulle bare ri dem. Men vi kaller det å stjæle, så det blir mer spennende. Jeg smilte forsiktig, men han smilte ikke tilbake.

– Det gikk ikke så bra for meg, sa jeg, – jeg ble kasta av, rett over piggtrådgjerdet. Jeg holdt armen fram med det helt tydelige kuttet, men han så meg rett i ansiktet.

– Hvordan var det med Jon?

– Med Jon? Han var som han pleier. Unntatt mot slutten. Han skulle vise meg eggene i et fuglekongereir høyt oppe i ei gran, og så plutselig moste han hele reiret, sånn, sa jeg og holdt armen fram igjen og gjorde en knusende bevegelse med neven, og faren min satte den siste posen inn i skapet mens han fortsatt så på

46

meg og nikka, og så lukka han skapdøra og strøyk seg over den skjeggete haka, og jeg sa:

– Og så stakk han, og så kom tordenværet.

Faren min bar sekken bort til døra og satte den der og ble stående og se ut på tunet med ryggen til meg. Han klødde seg i nakken, og så snudde han seg og kom tilbake og satte seg sjøl ved bordet og sa:

– Vil du vite hva alle snakker om på butikken?

Jeg var ikke spesielt interessert i å vite hva folk snakka om på butikken, men han kom til å fortelle det uansett.

– Ja, sa jeg.

Dagen før hadde Jon vært ute med børsa si, på hare-jakt som vanlig. Jeg skjønte ikke hvorfor han hadde så dilla på å skyte harer, men det var blitt spesialiteten hans, og han var god, han traff én av to. Og det var ikke dårlig med et så lite og raskt dyr. Om familien hans spiste alle de harene, visste jeg ikke. Det kunne vel bli litt ensformig. I hvert fall kom han hjem med to av dem dinglende etter øra i et tau, og han smilte som ei sol, for han hadde fyrt av to skudd den morge-nen, og begge var blink. Det var sjelden kost sjøl til han å være. Nå kom han inn i huset og så etter mora og faren sin for å vise dem fangsten, men mora hans var i Innbygda den dagen for å besøke noen kjente, og faren hans var i skauen. Det hadde han glemt i farta da han skulle ut, han så ikke hvem som var hjemme, men det var jo han som skulle passe tvillingene. Han satte børsa fra seg i gangen og hengte harene i tauet over en knagg og løp gjennom huset for å finne brød-rene sine, men de var ingen steder å se, og så løp han

47

ut på tunet igjen og rundt skjulet og rundt låven, men han fant dem ikke. Nå fikk han panikk. Han løp ned til elva og vassa uti ved sida av brygga de hadde der og snudde seg og stirra opp bredden, og han stirra ned bredden, men alt han så var et ekorn i ei gran.

– Jævla trebjønn, sa han. Han bøyde seg ned i vannet og førte hendene gjennom det som for å dra det til side så han kunne se bedre, men det var jo meningsløst, det rakk han bare til knærne og var helt gjennomsiktig. Han retta seg opp igjen og trakk pusten og prøvde å tenke, og så hørte han et skudd fra huset.

Børsa. Han hadde glemt å sikre børsa, han hadde ikke tatt ut den siste patronen, noe han alltid gjorde når han kom hjem. Det våpenet var det eneste av verdi han eide, og han passa på det og pussa det og holdt det i orden som var det babyen hans, og det hadde han gjort siden han fikk det av faren sin på tolvårsdagen med strenge formaninger om hva det skulle brukes til, og særlig hva det *ikke* skulle brukes til. Og han sikra det alltid og tok ut patronen og hengte det på plassen sin i kottet høyt oppe på en knagg. Men nå hadde han bare satt det fra seg i gangen fordi han plutselig kom på det han hadde glemt; at det var han som var ansvarlig for tvillingene som var aleine hjemme. De var bare ti år.

Jon løp plaskende ut av elva og opp langs bredden et stykke, og så videre mot huset i rett linje, og den veien var plutselig lang, og buksebeina hans var våte og tunge helt opp til knærne, og det surkla i skoa, og for hvert steg han tok kom en svuppende lyd som gjorde han kvalm. Midtveis opp til huset så han faren komme løpende fra skauen på den andre sida av gården. Han hadde aldri noen gang sett faren sin løpe, og synet av den store, tunge mannen som kom byksende ut av skauen og inn på tunet med lange, dunkende steg og armene klossete heva til skulderhøyde som løp han motstrøms gjennom vann, var så skrekkinn-gytende at Jon stoppa og satte seg rett ned på grasvollen. Uansett hva som hadde skjedd, var det for seint nå, og faren ville komme først inn i huset, og Jon kjente at han ville ikke se hva som hadde skjedd.

Det som hadde skjedd var at tvillingene hadde lekt i kjelleren hele morgenen med kasserte klær og utgåtte sko. Så kom de leende opp trappa, og snubla inn i gangen gjennom kjellerdøra, og der så de harene henge fra knaggen og børsa stå lent mot veggen. Det var børsa til Jon, det visste de godt, og storebror Jon var helten deres, og hvis de hadde de samme forbildene som jeg hadde i den alderen, var han deres Davy Crockett og Hjortefot og Huckleberry Finn i én person. Alt Jon gjorde, kunne hermes og bli til lek.

Lars kom først fram, han treiv børsa og svingte den rundt og ropte:

– Se på meg nå! Og så brente han av. Smellet og støtet fra kolben sendte han i golvet med et skrik, og han sikta jo ikke på noen ting, han ville bare holde i den vidunderlige børsa og være *Jon*, og han kunne truffet vedkassa, eller det lille vinduet mot trammen, eller fotografiet av bestefar med det lange skjegget som hang rett over knaggen i ei ramme malt med lysende gullfarge, eller lyspæra som hang der naken uten skjerm og aldri ble slokt for at de som var ute i mørket skulle se det skinne fra vinduet og ikke gå feil.

49

Men han traff ikke noen av delene, han traff Odd rett i hjertet på kloss hold. Og hadde dette vært noe som skjedde i en westernroman, ville det stått på de porøse sidene at nettopp navnet til Odd var skrevet på den kula, eller det var skrevet i stjernene eller på ett av bladene i skjebnens feite bok. At ingenting noen kunne gjort eller sagt ville fått linjene som møttes i *det* brennende øyeblikket til å ta andre veier. At andre krefter enn dem menneskene herska over hadde fått munningen på den børsa til å peke i akkurat den retninga. Men sånn var det ikke, og det visste Jon der han lå sammenkrøkt i graset på vollen og så faren komme ut av huset med broren hans i armene, og den eneste boka der navnet til Odd var skrevet ned og ikke kunne slettes, var i kirkeboka.

Faren min kunne jo ikke fortalt meg alt dette, ikke med alle de detaljene. Likevel er det sånn det står for meg i minnet, og jeg veit ikke om jeg begynte å fargelegge med én gang, eller det er noe jeg har gjort som åra har gått. Men sakens kalde fakta kunne ikke diskuteres, det som skjedde, hadde uansett skjedd, og faren min så spørrende på meg over bordet som om *jeg* kunne si noe klokt om dette fordi jeg da kanskje kjente deltakerne i dramaet bedre enn han, men alt jeg så var Jons hvite ansikt og regnet som falt mot det duvende vannet i elva da han skøyv fra og lot båten drive ut og ned med strømmen mot huset han bodde i og de som venta på han der.

– Det er likevel ikke det verste, sa faren min.

*

Tidlig på morgenen, dagen før Lars skøyt tvillingbroren sin Odd, hadde mora deres fått skyss til Innbygda med bilen som leverte varer til butikken. Dagen etter, da alt skjedde, skulle faren hente henne med hest og vogn. Hesten de hadde het Bramina og var en femten år gammel brunsvart døl med hvitt bles og hvite sokker. Hun var pen, syntes jeg, men ikke akkurat lett til beins, og Jon mente hun hadde et snev av høysnue som gjorde henne tungpusta, og det var jo litt spesielt for en hest. Med henne tok turen til Innbygda og tilbake igjen det meste av dagen.

Faren sto ute på tunet med den døde gutten sin i armene. På grasvollen lå den eldste sønnen hans helt stille som var han død han òg. Han visste han måtte dra. Han hadde sagt han skulle. Han hadde ingen annen mulighet. Og skulle han rekke det, måtte han dra nå. Han snudde og gikk inn i huset igjen. I gangen sto Lars, helt stiv og stille, og faren hans så han, men han klarte ikke tenke på mer enn én stor ting av gangen, og han gikk inn på soverommet og la Odd i ektesenga, fant et pledd og dekka den lille kroppen. Han skifta den blodige skjorta, og han skifta bukse og gikk ut for å sæle på Bramina. Fra øyekroken så han at Jon hadde reist seg og sakte kom gående mot stallen. Da hesten sto ferdig foran vogna, var Jon helt framme. Faren hans snudde seg og greip han i skulderen, altfor hardt, tenkte han i øyeblikket seinere, men det kom ikke ett ord fra gutten.

– Du får se etter Lars mens jeg er borte. *Det* greier du, sa han, og han så bort mot trammen der Lars var kommet ut i sola og sto og glippa med øynene mot det sterke lyset. Faren dro hånda over ansiktet, lukka øynene et øyeblikk, og så kremta han og satte seg opp på bukken, smatta på hesten, og vogna begynte å rulle og svingte gjennom porten og ned til hovedveien og opp forbi butikken og sakte videre den lange strekninga til Innbygda.

Jon tok Lars med seg i båten og dro ned elva for å fiske, han fant ikke på noe annet, og de ble borte i mange timer. Hva de snakka om, har jeg aldri greid å forestille meg. Kanskje de ikke snakka i det hele tatt. Kanskje de bare sto ved bredden med hver si stang og fiska; kasta ut og dro inn igjen, kasta ut og dro inn igjen, med god avstand mellom seg, og bare skauen omkring dem og en stor stillhet. *Det* kan jeg forestille meg.

Da de kom tilbake, gikk de ut i låven med den lille fangsten de hadde og satte seg til å vente der. Ikke én gang gikk de inn i huset. Seint på kvelden hørte de hovene til Bramina mot grusen og vogna som kom rullende opp veien. De så på hverandre. De skulle så gjerne blitt sittende litt til. Så reiste Jon seg, og Lars reiste seg, og de tok hverandre i hendene for første gang siden tvillingene var helt små og gikk ut på tunet og så vogna komme mot dem opp gårdsveien og stoppe, og de hørte den astmatiske pusten til Bramina, og farens trøstende ord til hesten; snille ord, mjuke ord, ord de aldri hadde hørt han si til noe menneske.

Mora satt på bukken i den blå kjolen med gule blomster, med veska i fanget og smilte til dem og sa:

– Her er jeg, hjemme igjen, det er vel fint, og hun reiste seg og satte foten mot hjulet og hoppa ned.

– Hvor er Odd? sa hun.

Jon så opp på faren sin, men han så ikke tilbake, han bare stirra inn i låveveggen og tygde som om munnen var full av tobakk. Han hadde ikke fortalt det. Hele den lange veien gjennom skauen, og bare de to, og han hadde ikke fortalt henne noen ting.

Begravelsen var tre dager seinere. Faren min spurte om vi skulle gå, og jeg sa ja. Det var min første begravelse. En av brødrene til mora mi var blitt skutt av tyskerne da han prøvde å rømme fra en politistasjon et sted på Sørlandet i 1943, men jeg var jo ikke der da det skjedde, og jeg veit ikke engang om det ble holdt noen begravelse.

Det er to ting jeg virkelig husker fra Odd sin begravelse. Det ene er at faren min og faren til Jon ikke så hverandre i øynene en eneste gang. Faren min tok han jo i hånda og sa:

– Kondolerer, et ord som lød fullstendig fremmed og ingen andre enn han brukte den dagen, men de *så* ikke på hverandre.

Det andre var Lars. Da vi kom ut av kirka og sto ved den åpne grava, ble han mer og mer urolig, og da presten var halvveis i seremonien og den lille kista skulle fires ned med et tau rundt hver hank, greide han ikke holde seg lenger og reiv seg løs fra mora si og løp vekk mellom gravsteinene til han var nesten ute av kirkegården og begynte å løpe i sirkel helt borte ved steinmuren. Han løp rundt og rundt med senka hode og blikket i bakken, og jo lenger han holdt på, jo saktere talte presten, og først var det bare noen få som snudde seg i den svartkledde flokken, men etter hvert ble det flere, og til slutt hadde alle snudd seg og så på Lars i stedet for på kista med broren hans i, og det tok ikke slutt før en nabo gikk rolig over graset, stilte seg i ytterkant av sirkelen og fanga han idet han passerte og løfta han opp. Beina hans løp fortsatt, men han ga ikke fra seg en lyd. Jeg så bort på Jon, og han så på meg, og jeg rista svakt på hodet, men han ga ikke noe tegn tilbake, bare stirra meg rett i øynene uten å blunke. Og jeg husker jeg tenkte at vi aldri kom til å stjæle hester sammen igjen, og det gjorde meg tristere enn noe av det som skjedde på kirkegården. Det er det jeg husker. Så da ble det vel tre ting.

4

Det var skog på den tomta som faren min hadde kjøpt sammen med setra. Gran for det meste, men furu også, og én og annen smal bjørk klemt inn mellom de mørkere stammene, og alt sammen vokste helt nede fra elvebredden der et trekors på mystisk vis var spikra opp i den furua som sto ytterst mellom rullesteinene og nesten hang over det strømmende vannet. Så fortsatte skogen i bortimot full sirkel omkring tunet og hytta med uthuset og grasvollen bak, og videre tett opp mot den smale veien der tomta vår tok slutt. Den veien var egentlig ikke mer enn en lett grusbelagt sti mellom granleggene med røtter på kryss og tvers og gikk et stykke fra elva langs østsida og helt opp til trebrua hvor den svingte over mot «sentrum» ved butikken og kirka. Det var der vi måtte gå når vi kom med bussen i slutten av juni, eller når en eller annen idiot hadde latt båten bli liggende på feil bredde; øst eller vest alt etter som hvor vi befant oss. Den idioten var som regel meg. Ellers gikk vi over Barkald si eng langs gjerdet og rodde over elva.

I litt mer enn et par timer på formiddagen lå hytta vår i skygge på grunn av den tette skogen mot sør, og jeg visste ikke om dét var grunnen til at faren min bestemte seg for å avvirke hele dritten. Han trengte nok penger, men at det var så akutt, hadde jeg ikke fått med meg, og jeg forsto det sånn, at når vi hadde reist dit til elva i det hele tatt, og det for andre gangen på rad, var det fordi han trengte tid og ro til å legge planer for et annet liv enn det han hadde bak seg og måtte gjøre det et annet sted, med en annen utsikt enn den vi hadde der vi bodde i Oslo. Dette året er et veiskille, hadde han sagt. Det at han lot *meg* være med, ga meg en status som ikke ble søstera mi til del, fordi hun måtte bli igjen i byen sammen med mora mi, enda hun var tre år eldre enn meg.

– Jeg vil ikke være med heller, jeg må bare vaske opp mens dere er ute og fisker. Jeg er jo ikke dum, sa hun, og det hadde hun jo rett i, og jeg tenkte at jeg forsto hva faren min mente, og flere enn én gang hørte jeg han si at han greide ikke tenke med kvinner i nærheten. Sjøl har jeg aldri hatt det problemet. Tvert imot.

Seinere har jeg tenkt at han kanskje ikke mente *alle* kvinner.

Men det var det lille vi hadde av skygge han snakka om; den helvetes skyggen, sa han, det er jo sommerferie, for pokker, og banna som han noen ganger gjorde når mora mi ikke var til stede. Hun vokste opp i en by hvor hun påsto de banna bestandig, og nå ville hun ikke høre noe mer av det der. Personlig syntes jeg det var greit med fri fra sola ei stund i heite timer når skogen sto bom stille i det sterke lyset og utsondra dufter som gjorde meg sløv og slapp og kunne få meg til å sovne midt på dagen.

Uansett hva grunnen var, så hadde han bestemt seg. Det meste av skogen skulle felles og stokkene slepes til elva og sendes med strømmen til et sagbruk i Sverige. Det siste lurte jeg på siden Barkald hadde ei sag bare en knapp kilometer lenger ned, men den var bare ei gårdssag og var kanskje for liten og kunne ikke ta imot den mengden vi skulle levere. Uansett ville ikke svenskene kjøpe tømmeret på plassen, som skikken var, men betalte bare for det som kom fram til saga. Fløtinga ville de heller ikke ta ansvar for. Ikke i juli, sa de.

– Kanskje vi bare skulle ta litt av gangen, foreslo jeg, – litt nå, og litt neste år?

– Det er jeg som bestemmer når tømmeret mitt skal skjæres, sa han. Det var jo ikke det jeg mente, om det var han som bestemte, men jeg lot det ligge. For meg hadde det ingen betydning. Det jeg tenkte mest på var om han ville la meg få være med på drifta, og hvilke andre som ble med, for det var tungt arbeid, og helt sikkert farlig, om du ikke visste hva du gjorde, og så vidt meg bekjent hadde ikke faren min vært borti tømmerhogst før. Det hadde han nok ikke heller, det forstår jeg i dag, men han hadde en sjøltillit som gjorde at han kunne gi seg på nesten hva som helst og tru det ville gå bra.

Men først skulle engene slås. Det kom ikke mer regn etter tordenværet, og på to små dager var graset tørt, og en morgen sto Barkald på tunet med nystrigla hår og hendene i lommene og spurte om det ikke var sånn at vi var klare for noen dager med høygaffel. Ifølge han ville fjorårets høyonn gått rett i vasken om det ikke var for innsatsen faren min og jeg hadde lagt inn, og særlig min da, det skjønte jeg av det han så inn- smigrende sa, men jeg var gammel nok til å forstå at han bare var ute etter å verve gratis onnehjelp. Ikke for det, vi hadde da jobba hardt nok.

Faren min strøyk seg over den skjeggete haka, myste mot sola et øyeblikk før han kikka skrått ned på meg der vi sto på trammen.

– Hva trur du, Trond T? sa han. Jeg het Tobias til mellomnavn, men det navnet kom jeg aldri til å bruke, og t-en dukka bare opp når faren min skulle være liksomalvorlig og var et signal til meg om at nå var det rom for å tulle litt.

– Joa, sa jeg, – det er vel ikke helt umulig.

– Vi har jo litt vi skulle gjort sjøl òg, sa han.

– Det er klart, sa jeg, – vi har noen oppgaver vi skulle hatt unna, det er ikke det, men kanskje vi kunne klemme inn et par dager, det er ikke utenkelig at det skulle gå.

– Ikke utenkelig, men vanskelig er det, sa faren min.

– Jo, vanskelig er det, sa jeg, – det skal innrømmes. Men en byttehandel ville nok vært til hjelp.

– Det har du rett i, sa faren min, og nå kikka han nysgjerrig på meg. – En byttehandel ville ikke vært dumt i det hele tatt.

– En hest kanskje, med sæletøy, sa jeg, – for noen dager i neste uke eller uka etter det.

– Nettopp, sa faren min med et stort smil. – Nettopp på en prikk. Hva sier du til det, Barkald?

Barkald hadde stått der på tunet med et forvirra uttrykk i ansiktet og hørt på den kronglete samtalen vår, og nå satt han i fella. Han dro seg gjennom håret og sa:

– Jo, det er klart, det skulle nok gå. Dere kan vel ta Brona, sa han, og jeg kunne se han hadde lyst til å

58

spørre hva vi egentlig skulle med hesten, men han følte seg utafor nå og hadde mista føringa og ville for all del ikke dumme seg ut.

Barkald sa han skulle slå dagen etter når det som var av dogg hadde letta, det var bare å møte opp på den nordre enga, og så løfta han hånda til avskjed og var tydelig glad for å slippe unna og gikk ned til elva og entra båten sin, og faren min satte hendene i sidene og så på meg og sa:

– Det der var jo nesten genialt, hvordan kom du på det? Han hadde ingen anelse om hvor nøye jeg hadde tenkt igjennom tømmerdrifta, og siden jeg ikke hadde hørt han nevne noe som helst om noen hest, så slo jeg til, for jeg visste at vi kunne ikke slepe stokkene til elva med håndkraft. Men jeg svarte ikke, bare trakk på skuldrene med et smil. Han tok tak i luggen min og rista hodet mitt forsiktig.

– Du er ingen dumming du, sa han, og jeg var enig i det. Det hadde jeg alltid ment; at jeg ikke var dum.

Fire dager hadde gått siden begravelsen til Odd, og jeg hadde ikke sett Jon siden da. Det føltes merkelig. Jeg våkna om morgenen og lytta etter skrittene hans på tunet og på trammen, og jeg lytta etter den gnissende lyden av årene i åregangene og det lette dunket når båten hans slo mot steinene ved bredden av elva. Men hver morgen var det stille, foruten fuglene som sang og vinden i tretoppene og lyden av bjeller når kuene fra setrene nord og sør for oss ble drevet opp i åsen bak hytta for å beite hele dagen i de grønne liene til budeiene kom ut på vollene og gikk opp til veien og sang dem hjem klokka fem. Jeg lå i køya ved det åpne vinduet og hørte den metalliske, sprø klangen skifte med det skiftende terrenget og tenkte at jeg ville ikke være noe annet sted enn i den hytta sammen med faren min uansett hva som hadde skjedd, og hver gang jeg hadde stått opp, og Jon ikke var der foran døra, kjente jeg et blaff av lettelse. Da skamma jeg meg, og det var som en sårhet i halsen, og det kunne ta flere timer før den sårheten var helt borte.

Jeg så han ikke ved elva heller, så han ikke med fiskestang langs bredden eller i båten på vei opp eller ned, og faren min spurte meg ikke om vi hadde vært sammen, og jeg spurte ikke faren min om han hadde sett han. Sånn var det. Vi spiste bare frokost, tok på oss arbeidsklær og gikk ned til den gamle robåten som hadde fulgt med på kjøpet av hytta og rodde over vannet.

Det var sol. Jeg satt på den bakerste tofta med lukka øyne mot lyset og mot faren min sitt kjente ansikt mens han rodde med trygge tak, og jeg tenkte på hvordan det føltes å miste livet så tidlig. Miste livet, som om du hadde et egg i hånda, og så glapp taket, og det falt i bakken og knuste, og jeg visste at det kunne ikke føles som noe som helst. Var du død, så var du død, men i det bitte lille sekundet rett før; om du skjønte det da, at det var slutt, og hvordan dét kjentes. Det var ei smal åpning der, som ei dør så vidt på gløtt, som jeg pressa meg mot, for jeg *ville* inn, og det lyste gull av den stripa fra sola mot øyelokkene mine, og så glei jeg plutselig inn, og jeg var der helt sikkert i et lite glimt, og det gjorde meg ikke redd i det hele tatt, bare trist og forundra over hvor stille alt var. Da jeg åpna øynene, satt følelsen igjen. Jeg så utover vannet mot den andre bredden, og den var der fortsatt. Jeg så på ansiktet til faren min som fra et sted langt borte, og jeg blunka flere ganger og trakk pusten djupt, og kanskje skalv jeg litt, for han smilte nysgjerrig og sa:

– Er det bra med deg, sjef?

– Ja visst, sa jeg etter en pause. Men da vi la til og fortøyde båten og gikk opp langs gjerdet over enga, kjente jeg det inni meg et sted; en liten rest, en helt gul flekk jeg ikke visste om jeg noen gang ble kvitt.

Da vi kom opp til den nordre enga, var det allerede folk der. Barkald sjøl sto ved slåmaskinen med tømmene i hånda og skulle til å sette seg opp. Den hesten kjente jeg igjen, jeg var fortsatt øm i skrittet etter rittet vårt sammen, og det sto to menn der fra bygda og en kvinne jeg ikke kjente, som ikke så ut som ei bondekone, men kanskje var familie av folka på gården, og fru Barkald sto i snakk med mora til Jon. De to hadde håret satt opp i rufsete topper og utvaska kjoler av blomstrete bomullstøy som la seg mot kroppen, og nakne bein i halvhøye støvler, og i hendene hadde de river med riveskaft dobbelt så lange som de sjøl. Vi hørte stemmene deres helt nede fra veien gjennom formiddagslufta, og mora til Jon var annerledes her ute på enga enn hjemme i det trange huset, og det var så påtakelig at jeg så det med én gang, og det var tydelig at faren min la merke til det samme. Nesten uvillig snudde vi hodene og veksla blikk og fikk greie på der hva den andre hadde sett. Jeg ble varm i ansiktet og følte meg spent og samtidig ille berørt, men jeg visste ikke om det var på grunn av mine egne overraskende tanker, eller fordi jeg så at faren min hadde tenkt som jeg. Da han så at jeg rødma, lo han lavt, men ikke nedlatende på noen måte, det skal han ha. Han bare lo. Nesten entusiastisk.

Vi gikk opp gjennom graset til slåmaskinen og hilste på Barkald og kona hans, og mora til Jon tok oss i hånda og sa takk fordi vi hadde møtt fram i begravelsen til Odd. Hun var alvorlig og litt hoven rundt øynene, men ikke knust. Hun var solbrent på en fin måte, kjolen hennes blå, og øynene var blå og blanke, og hun var bare noen få år yngre enn mi ega mor. Det skinte av henne, og det var som om jeg så henne for første gang helt tydelig, og jeg lurte på om det var på grunn av det som hadde skjedd, om noe sånt kunne få en til å stå ut og bli selvlysende. Jeg måtte stirre i bakken og stirre over enga for å unngå blikket hennes, og så gikk jeg bort til stabelen med hesjestaur der redskapen sto og henta en høygaffel og lente meg mot den mens jeg så på ingenting og venta på at Barkald skulle komme i gang. Faren min ble stående og snakke litt, og så kom han også bort, plukka en høygaffel opp fra graset mellom to ståltrådsneller, og satte den i bakken og venta som jeg gjorde mens vi unngikk å se på hverandre, og Barkald som satt i setet på slåmaskinen, smatta på hesten, slapp knivene ned og begynte å bevege seg.

Enga var målt opp i fire deler etter hvor mange hesjer vi skulle sette opp, og Barkald slo graset i ei rett linje langs midten av den første delen. Noen meter fra kanten av enga banka vi en kraftig plugg skrått ned i bakken med slegge, surra enden av den ene ståltrådrullen rundt pluggen og festa den godt, og så var det min jobb å løfte snella i de to blankslitte håndtakene og snurre ut tråden mens jeg holdt den stram og gikk baklengs i det feltet som Barkald hadde slått. Det var tungt, etter bare noen meter begynte håndleddene mine å verke, og skuldrene verka fordi jeg måtte gjøre tre ting samtidig med den tunge snella, og jeg var ikke varm i musklene ennå. Etter hvert som tråden snurra ut, ble snella lettere, men da var jeg desto mer sliten, og det var en sånn plutselig motstand i alt som var fysisk at jeg kjente jeg ble forbanna og tenkte ikke faen om noen som var der skulle se at jeg var en sånn pysete bygutt, ikke på vilkår mens mora til Jon så på meg med det blendende blå blikket sitt. Det var jeg sjøl som bestemte når det gjorde vondt, og om det skulle synes eller ikke, og jeg pressa smerten ned i kroppen så den ikke skulle vises i ansiktet mitt, og med armene heva snurra jeg snella, og tråden rant ut til jeg var kommet til enden av enga, og der la jeg snella i det stubbkorte nyslåtte graset med ståltråden stram så rolig jeg kunne og reiste meg like rolig opp og stakk hendene i lommene og lot skuldrene synke. Det skar som kniver i nakken, og jeg gikk bare sakte bort til de andre. Da jeg passerte faren min, løfta han hånda liksom tilfeldig og strøyk meg over ryggen og sa lavt:

– Det gikk jo fint. Og det var nok. Smerten forsvant, og jeg var allerede klar for det neste.

Barkald var ferdig med å slå den første delen av enga, og hadde slått den første stripa i den neste, og nå sto han ved hesten og røyka og venta på at vi skulle gjøre resten. Han var sjefen, og ifølge faren min hørte han til typen som best jobba sittende og hvilte stående, hvis det ikke ble for lenge, for da måtte han sitte igjen. Om det var noe å hvile fra. Det var jeg ikke så sikker på. Å kjøre den hesten var ikke noe slit akkurat. Den hadde gjort dette så mange ganger før at den kunne alt i blinde, og den kjeda seg og ville videre, men nå fikk den ikke lov, for Barkald var systematiker og hadde ingen planer om å slå hele enga i ei økt. Det var først det ene og så det andre, enda sola skinte fra skyfri himmel og lovte mer av det samme. Dagen var kommet så langt nå at vi kjente hvordan skjortene ble våte på ryggen av svette, og hver gang vi løfta noe som var tungt, begynte det å renne fra panna. Sola sto inn rett fra sør, og det var knapt en skygge i dalen, elva bukta seg og glitra, og vi kunne høre den bruse ned stryket under brua ved butikken. Jeg løfta et fange med staur og bar dem ut og fordelte dem med passe mellomrom langs ståltråden og gikk tomhendt tilbake etter flere, og faren min og en av mennene fra bygda målte opp avstander og brukte spett og lagde høl for hver andre meter langs linja, vekselvis ett på hver side av tråden og toogtredve i alt, og faren min i singlet nå, hvit mot det mørke håret og mot den brunbrente huden og de skinnende blanke overarmene, og det store gjerdespettet opp og så tungt ned med sugende søkk i den fuktige jorda, maskinmessig, faren min, og lykkelig, faren min, og mora til Jon kom etter og planta staurene i høla hele veien bort til punktet der ståltrådsnella lå og en ny plugg skulle ned for å bardunere hesja, og jeg kunne ikke la være å se på dem.

Én gang stoppa hun opp og la stauren fra seg i graset og gikk noen skritt bort og ble stående med ryggen til og se ned på elva mens skuldrene dirra. Da retta faren min ryggen og hvilte og venta med hendene i hansker rundt spettet, og så snudde hun seg opplyst og våt i ansiktet, og faren min smilte og nikka til henne så håret falt ned i panna, løfta spettet igjen, og hun smilte alvorlig tilbake, kom over og bøyde seg over stauren og løfta den opp, og med en vridende bevegelse kylte hun den ned i hølet så den *satt*. Og så fortsatte de, i samme takt som før.

Hverken Jon eller faren hans var kommet, enda jeg var sikker på de skulle, for de hadde vært med året før, men kanskje hadde de annet å gjøre med sine egne ting, eller de orka bare ikke. At *hun* orka var egentlig merkelig, men da jeg hadde sett henne gå omkring ei stund, tenkte jeg ikke mer på det. Kanskje kom faren min til å be dem alle tre med på tømmerdrifta. Det var ikke utenkelig, for faren til Jon hadde lang erfaring, men samtidig skjønte jeg ikke hvordan det skulle gå, om det ble som det hadde vært til nå, at de ikke kunne se på hverandre.

Da alle staurene sto i ei taggete rekke tvers over enga, skulle ståltråden spennes i lårhøyde mellom dem med løkka til høyre og venstre annenhver gang så tråden ble liggende rett i midten. De to mennene fra bygda tok på seg den jobben; den ene var lang og den andre var kort, og det var tydeligvis en fin kombinasjon, for de hadde gjort dette før og var raske og effektive til tråden lå stram som en gitarstreng helt ned til den siste stauren og ble surra og låst fast rundt pluggen som var slått ned av Barkald i motsatt ende. Vi andre tok rivene og gikk ut i vifteform med passe avstand imellom oss og begynte å rake graset fra alle kanter mot hesja, og med én gang ble det klart hvorfor skaftene var så lange. De ga oss en så stor radius at vi dekka hele feltet til sammen, og ikke et strå lå igjen, men det tok hardt på håndflatene med riva fram og tilbake mellom hendene tusenvis av ganger, og vi måtte bruke hansker for ikke å få gnagsår og brannsår og blemmer etter bare en time. Og så fylte vi på den første tråden, noen med høygafler og balanse og stor presisjon, og andre med hendene, som faren min og jeg som ikke hadde den samme øvelsen. Men det gikk bra det også, og de nakne armene våre ble sakte grønne på innsidene, og tråden ble full, og vi spente opp en ny og la den også full, og så enda en, til vi var fem stappfulle tråder i høyden, og det øverste litt tynnere laget av gras hang ned som et skråtak på hver side, så når regnet kom, ville det bare renne av, og hesja kunne stå der i måneder, og høyet var like fint rett under de ytterste stråene. Ifølge Barkald var det nesten like så bra som å ha det tørt inne på låven, om alt ble gjort riktig, og så vidt jeg kunne se, var det ingenting feil. Hesja så ut som den hadde stått der bestandig, på tvers av landskapet og opplyst av sola med den lange skyggen bak, og den fulgte hver kupering i enga og var til slutt bare en form, en urform, sjøl om det ikke var det ordet jeg tenkte på da, og det ga meg en stor glede bare å se på den. Jeg kan fortsatt kjenne det samme i dag, når jeg ser ei hesje på et foto i ei bok, men alt det der er borte nå. Ingen gjør det på den måten lenger i denne delen av landet; i dag er det én mann aleine på traktor, og bakketørk og høyvender og ballemaskin og plasthvite, runde pakker med stinkende silo. Så gleden glir over i følelsen av tida som har gått, at det er veldig lenge siden, og den plutselige følelsen av å være gammel.

5

Jeg kjente han ikke igjen de første gangene jeg så han, da jeg hilste så vidt på vei forbi med Lyra, for jeg tenkte ikke i de baner, hvorfor skulle jeg det? Når han sto ved hytta si og la opp vedstabler under takskjegget, og jeg passerte på veien mens jeg tenkte på helt andre ting. Ikke engang da han sa navnet sitt gikk det opp for meg. Men da jeg gikk inn og la meg i natt, begynte jeg å spekulere. Det *var* noe med den mannen og ansiktet hans jeg hadde sett i det flakkende lyset fra lommelyktene. Og nå er jeg plutselig sikker. Lars er Lars sjøl om jeg sist så han da han var ti år gammel, og nå har han passert seksti, og hadde dette stått i en roman ville jeg bare blitt irritert. Jeg har jo lest ganske mye, særlig de siste åra, men før også, for all del, og har tenkt over det jeg har lest, og den slags tilfeldigheter virker søkte i skjønnlitterære bøker, i hvert fall i moderne romaner, og jeg har vanskelig for å tru på dem. Det kunne kanskje gått hos Dickens, men når du leser Dickens, leser du en lang ballade fra en verden som er borte, hvor alt skal gå opp til slutt som i en likning, der balansen som en gang ble forstyrra skal gjenopprettes for at gudene skal kunne smile. En trøst kanskje, eller en protest mot en verden som er gått av skaftet, men det er ikke lenger sånn, min verden er ikke sånn, og jeg har aldri hatt noe til overs for folk som mener at skjebnen styrer våre liv. De syter, de toer sine hender og vil ha medynk. Jeg mener vi sjøl skaper våre liv, jeg har nå iallfall skapt mitt eget, for hva dét er verdt, og tar det hele og fulle ansvaret. Men av alle plasser jeg kunne ha flytta til, så måtte jeg havne nettopp her.

Ikke at det forandrer noen ting. Det forandrer ikke planen min med dette stedet, forandrer ikke følelsen ved å bo her, alt det er som før, og jeg er sikker på at han ikke kjente *meg* igjen, og sånn har jeg tenkt at det skal fortsette. Men det er klart. *Noe* har det å si.

Planen min med dette stedet er helt enkel. Det skal være det siste stedet jeg bor. Hvor lenge det kan bli, har jeg ikke tenkt å fundere mye over. Her er det én dag av gangen. Og det jeg må finne ut av først, er hvordan jeg skal greie meg i vinter, hvis det blir mye snø. Veien ned til Lars si hytte er to hundre meter lang, og enda er det femti meter bort til riksveien. Med den ryggen jeg har, er det ikke mulig å måke den strekninga for hånd. Det hadde vel ikke gått med god rygg heller. Jeg ville ikke fått gjort annet.

Snømåking er viktig, og et godt batteri i bilen, hvis det blir virkelig kaldt. Det er seks kilometer til bygdesenteret der Samvirkelaget ligger. Og nok ved til fyring er viktig. Det er to panelovner i huset, men de er gamle og bruker vel mer strøm enn de gir varme fra seg. Jeg kunne kjøpt et par moderne oljeradiatorer på hjul av den typen du kan plugge rett i kontakten og dra fram og tilbake på golvet etter behov, men jeg har tenkt som så at den varmen jeg ikke klarer å få til sjøl, må jeg greie meg foruten. Heldigvis lå det en stor stabel med gammel bjørkeved i uthuset da jeg kom hit, men det er langt fra nok, og den er så tørr at den brenner opp fort, så for noen dager siden tok jeg ned ei død gran med motorsaga jeg har kjøpt, og prosjektet mitt nå er å kappe opp grana og kløyve den til passende kubber og stable inn alt på toppen av den gamle veden før det blir for seint. Jeg har allerede forsynt meg kraftig av bjørka.

Motorsaga er en Jonsered. Ikke fordi jeg trur at Jonsered er det beste merket, men de bruker bare Jonsered her, og han jeg kjøpte den av på maskinverkstedet inne i bygda sa at de rørte ikke annet om jeg kom med et ødelagt kjede og ville ha service. Saga er ikke ny, men den er nyoverhalt med et helt nytt kjede, og mannen virka veldig bestemt. Så her hersker Jonsered. Og Volvo. Jeg har aldri før sett så mange Volvoer på én plass; fra de nyeste luksusmodellene til gamle amasoner, flere av de siste enn de første, og en PV har jeg også sett, foran postkontoret, i 1999. Det skulle fortelle meg noe om dette stedet, men jeg er ikke sikker på hva, annet enn at det er kort vei til Sverige, og til billige deler. Kanskje er det så enkelt som det.

Jeg setter meg i bilen og kjører. Ned veien og over elva, forbi hytta til Lars og ut på riksveien gjennom skogen, og hele tida ser jeg sjøen blinke på høyre side mellom trærne til den plutselig ligger bak meg, og så er det over ei åpen slette med gule, for lengst treska åkrer på begge sider. Over åkrene flakser kråker i store flokker. De er lydløse i sollyset. I den andre enden av sletta ligger saga ved ei elv som er større enn den jeg ser fra huset mitt, men den renner ut i samme sjøen. Den ble brukt til tømmerfløting før, det er derfor saga ligger hvor den ligger, men det er lenge siden nå, og saga kunne ligget hvor som helst, for all transport av tømmer går på veiene i dag, og det er ingen spøk å møte en av de tunglasta bilene med henger i en sving på en smal landevei. De kjører som grekere og bruker hornet i stedet for bremser. For bare noen uker siden måtte jeg ut i grøfta, det digre vogntoget dundra forbi meg langt inne i min kjørebane, og jeg vrei bare rattet over, og kanskje lukka jeg øynene et øyeblikk, for jeg trudde jeg skulle dø, og så var det ikke annet enn glasset i det høyre blinklyset som ble knust mot en stubbe. Men jeg ble sittende lenge med panna mot rattet. Det var nettopp blitt mørkt, motoren hadde stoppa, men lyktene var på, og da jeg løfta hodet fra rattet, så jeg gaupa gå flombelyst over veien, bare femten meter foran bilen. Jeg hadde aldri sett ei gaupe før, men jeg visste hva det var jeg så. Kvelden var helt stille omkring oss, og gaupa snudde seg hverken til høyre eller venstre. Den bare gikk. Mjukt, økonomisk, fylt av seg sjøl. Jeg kunne ikke huske når jeg sist følte meg så levende som da jeg fikk bilen på veien igjen og kjørte videre. Alt som var meg lå stramt og sitrende rett under huden.

Jeg fortalte om gaupa på butikken dagen etter. Det var nok ei bikkje, sa de. Ingen trudde meg. Ingen jeg snakka med den dagen hadde noen gang sett gaupa, så hvorfor skulle jeg som hadde bodd der en knapp måned bli velsigna med noe sånt? Hadde jeg vært en av dem, ville jeg kanskje ha tenkt på samme måten, men jeg så det jeg så, jeg har bildet av den store katta inni meg et sted og kan kalle det fram når jeg ønsker det, og jeg håper at jeg én dag, eller like gjerne natt, skal få se den igjen. Det ville vært fint.

Jeg parkerer foran Statoilstasjonen. Det var det blinklyset. Jeg har ennå ikke fått tak i nytt glass, eller skifta pære for den del, men har kjørt uten. Det begynner å bli litt for mørkt om kveldene til den slags, dessuten er det ikke lov å kjøre uten. Så jeg går inn og snakker med mannen på verkstedet. Han kikker ut gjennom vinduet i rulledøra og sier han skal skifte pære med én gang og bestille nytt glass fra en bilopphogger.

– Ingen vits i å bruke penger til nytt på gammal bil, sier han. Og det er nok sant. Bilen er en ti år gammel Nissan stasjonsvogn, og jeg kunne vel kjøpt en nyere bil, jeg har penger til det, men sammen med kjøpet av huset ville det gått såpass ut over ressursene at jeg stemte imot. Egentlig hadde jeg planer om en firehjulstrekker, det hadde passa bra her ute, men så fant jeg ut at firehjulstrekk var litt juks og litt nyrikt, og jeg endte med denne her som har bakhjulstrekk som alt annet jeg har kjørt. Jeg har allerede vært innom mekanikeren med en del problemer, en sliten dynamo blant annet, og han sier det samme hver gang og bestiller fra den samme bilopphoggeren. Det koster bare en brøkdel av nye deler, og jeg syns han i tillegg tar seg dårlig betalt. Men han plystrer når han jobber og har radioen stilt inn på «Alltid nyheter» i verkstedet, og prispolitikken er tydeligvis helt bevisst. Han er så vennlig og imøtekommende at det gjør meg forvirra. Jeg hadde venta litt motstand faktisk, særlig fordi jeg ikke kjører Volvo. Kanskje han er innflytter.

Jeg lar bilen stå ved bensinstasjonen og går forbi

kirka og skrår over veikrysset til butikken. Det er uvanlig. Jeg har lagt merke til at alle setter seg i bilen her og kjører uansett hvor de skal og hvor langt det er. Det er hundre meter bort til Samvirkelaget, men jeg er den eneste som *går* på utsida av parkeringsplassen. Jeg føler meg eksponert og er glad når jeg kommer inn gjennom dørene.

Jeg hilser til høyre og venstre, de er vant til meg nå og har forstått at jeg er kommet for å bli og ikke er en del av hyttefolket som strømmer ut hit i store biler hver sommer og påske for å fiske om dagen og spille poker og drikke pjolter om kvelden. Det tok litt tid, og så begynte de å spørre meg ut, forsiktig i køen foran kassa, og nå veit alle hvem jeg er og hvor jeg bor. De veit hvilke yrker jeg har vært innom, hvor gammel jeg er, at kona mi døde for tre år siden i en ulykke jeg så vidt overlevde sjøl, at hun ikke var den første kona mi, og at jeg har to voksne barn fra et tidligere ekteskap, og at de igjen har egne barn. Alt sånt har jeg latt dem få vite; som at da kona mi døde ville jeg ikke mer og pensjonerte meg og begynte å se etter et helt nytt sted å flytte til, og da jeg fant det huset jeg bor i nå, ble jeg veldig fornøyd. Det liker de å høre, sjøl om alle sier at jeg kunne spurt hvem som helst her, og de ville fortalt meg hvilken forfatning det huset var i, at det var mange som hadde lyst på stedet fordi det lå så fint til, men ingen som orka å gå på jobben det var å få det beboelig. Det var godt jeg ikke visste det, sier jeg da, ellers ville jeg ikke kjøpt det og funnet ut at det fint går an bo der om en ikke stiller så høye krav med én gang, men tar det bare litt etter litt. Det passer meg bra, sier jeg, jeg har god tid, jeg skal ingen steder.

Folk liker at du forteller dem ting, i passe mengder, i en beskjeden, fortrolig tone, og de trur at de kjenner deg, men de gjør ikke det, de kjenner *til* deg, for det de får greie på er fakta, ikke følelser, ikke hva du mener om noe som helst, ikke hvordan det som har skjedd deg og alt du har bestemt deg for, har gjort deg til den du er. Det de gjør, er å fylle ut med egne følelser og meninger og antakelser, og de komponerer et nytt liv som har fint lite med ditt å gjøre, og dermed går du trygg. Ingen kan røre deg, om du ikke vil det sjøl. Det er bare å være høflig og smile og sky paranoide tanker, for de snakker om deg uansett hvilke sprell du gjør, det er ikke til å unngå, og du ville gjort det samme sjøl.

Det er ikke mye jeg skal ha, bare et brød og litt pålegg, og det er fort gjort unna. Det slår meg hvor tomme handlekurvene mine er blitt, så få behov jeg har endt opp med aleine. Jeg betaler i et plutselig anfall av meningsløst vemod og kjenner øynene til kassadama i panna når jeg leiter fram penger, *enkemannen* er hva hun ser, de forstår ingenting, og det er like greit.

– Værsågod, sier hun silkemjukt og stille og gir meg penger tilbake, og jeg sier:

– Takk skal du ha, og er for faen nesten på gråten og går fort ut igjen med varene i en pose og tilbake til bensinstasjonen. Jeg har vært heldig, tenker jeg. De forstår ingenting.

Han har skifta pæra i blinklyset. Jeg legger posen inn i setet på passasjersida og går mellom pumpene og inn i butikken. Kona hans står bak disken og smiler.

– Hei, sier hun.

– Hei, sier jeg, – det var den pæra. Hvor mye koster den?

– Ikke mye. Det kan vente. Har du lyst på en kopp kaffe? Olav har tatt fem minutter, sier hun og peker med tommelen mot den åpne døra til rommet bak butikken. Det er vanskelig å si nei. Jeg går litt usikkert mot døråpninga og kikker inn. Der sitter mekanikeren som heter Olav på en stol foran en dataskjerm med lange rekker av lysende tall. Ingen av dem er røde, så vidt jeg kan se. Han har en rykende kopp kaffe i ene hånda og en Kvikk Lunsj i den andre. Han er sikkert tjue år yngre enn meg, men jeg blir ikke lenger overraska når det går opp for meg at godt voksne menn er langt under min egen alder.

– Sett deg ned, slapp av litt, sier han og heller kaffe i et plastkrus og plasserer det på bordet foran en ledig stol og slår ut med hånda og lener seg tungt tilbake i sin. Hvis han er oppe så tidlig som jeg, noe jeg trur at han er, har han holdt på lenge og er sikkert sliten. Jeg setter meg i stolen.

– Nå, hvordan går det der borte på Toppen, sier han. – Har du kommet godt i gang? Stedet mitt heter Toppen fordi det har utsikt over sjøen.

– Jeg var der to ganger sjøl, sier han, – på visning, og lurte på om jeg skulle legge inn bud. Det er god plass til å mekke bil der, men det var såpass mye å gjøre med huset at jeg avsto. Jeg liker å skru, ikke å snekre. Men det er kanskje omvendt for deg? Vi kikker begge ned på hendene mine. De ser ikke ut som de tilhører en håndverker.

– Ikke akkurat, sier jeg. – Jeg er vel ikke særlig god til noen av delene, men tar jeg tida til hjelp, så skal jeg nok få skikk på huset. Det er mulig jeg trenger litt hjelp etter hvert.

Det jeg gjør, som jeg aldri har fortalt til noen, er at jeg lukker øynene hver gang jeg skal gjøre noe praktisk ut over det jeg til daglig er nødt til å foreta meg, og da forestiller jeg meg hvordan faren min ville gjort det eller hvordan han faktisk gjorde det som jeg har sett, og så hermer jeg *det* til jeg kommer inn i den riktige rytmen, og oppgaven åpner seg og blir synlig, og sånn har jeg gjort det så lenge jeg kan huske, som om hemmeligheten ligger i kroppens holdning til det som skal gjøres, i en viss balanse i utgangspunktet, som å treffe planken i lengdehopp og den rolige beregninga like før av hvor mye som skal til, eller hvor lite, og den indre mekanikken som hver oppgave alltid har; først det ene og så det andre, i en sammenheng som ligger der nedfelt i hvert stykke arbeid, ja som om jobben allerede fins der som ferdig form, og det kroppen skal gjøre når den beveger seg, er å trekke et slør til side så alt kan bli lest av den som betrakter. Og den som betrakter er *jeg*, og han jeg ser for meg og leser bevegelsene til, er en mann på knappe førti, som faren min var da jeg så han den siste gangen da jeg var femten år, og han forsvant ut av livet mitt for alltid. For meg blir han aldri eldre.

Akkurat det er nok vanskelig å forklare for denne vennlige mekanikeren, så jeg sier bare:

– Jeg hadde en praktisk far. Jeg lærte mye av han.

– Fedre er fint, sier han. – Faren min var lærer. Inne i Oslo. Jeg lærte å lese bøker av han, ellers var det vel ikke stort. Praktisk var han ikke, det kan ingen si. Men han var en fin mann. Vi kunne alltid snakke sammen. Han døde for fjorten dager siden.

– Det visste jeg ikke, sier jeg. – Det var leit.

– Hvordan kunne du vite det. Han hadde vært sjuk lenge, det var nok bra han fikk slippe. Men jeg savner han, det gjør jeg.

Han blir sittende stille, og jeg kan se at han savner faren sin, helt enkelt og liketil, og jeg skulle ønske det var så enkelt; at en bare kunne savne faren sin, og ferdig med det.

Jeg reiser meg. – Jeg får vel stikke, sier jeg. – Det var det huset. Jeg må holde det gående. Snart er det vinteren.

– Ja visst, sier han og smiler. – Du får si ifra hvis det er noe du lurer på. Vi er jo her, vi.

– Det var noe, faktisk. Den veien opp til huset mitt. Den er jo ganske lang. Når snøen kommer, blir det ikke lett for meg å holde den åpen for hånd. Og noen traktor har jeg ikke.

– Det er klart. Du kan ringe han her, sier Olav mekaniker og skriver et navn og et nummer på en gul klistrelapp, – det er den nærmeste naboen din med traktor. Han måker sin egen vei, og da kan han vel måke din òg. Det er en gård, og han skal ingen steder om morran annet enn ned veien og opp igjen. Jeg tipper det går bra, men han skal nok ha litt for bryet. En femtilapp for gangen, antakelig.

– Det er vel ikke mer enn rimelig. Det betaler jeg gladelig. Takk skal du ha, for hjelpa og for kaffen, sier jeg.

Jeg går ut i butikken og betaler for blinklyspæra, og kona til mekanikeren smiler og sier ha det bra, og jeg går videre helt ut og setter meg i bilen og kjører hjem. Den lille gule lappen jeg har klistra fast til lommeboka har gjort den nærmeste framtida mye mindre komplisert. Jeg føler meg lett og fin og tenker, skulle det ikke mer til? Men nå kan vinteren komme.

Tilbake på Toppen parkerer jeg bilen foran tuntreet mitt, ei eldgammel nesten hul bjørk som kommer til å ramle overende hvis jeg ikke gjør noe med den snart og går inn på kjøkkenet med varene i posen og fyller opp vann til kaffe og slår på trakteren. Så henter jeg motorsaga i uthuset og ei lita rund fil og et par øreklokker jeg fikk med på kjøpet av saga. I garasjen henter jeg bensin og olje og plasserer alt på hella foran døra i sola som så vidt gir varme fra seg nå som dagen er på det høyeste og går inn igjen og finner fram termos og står foran benken og venter til trakteren har gjort seg ferdig. Så fyller jeg termosen med dampende kaffe og kler på meg varme arbeidsklær og går ut igjen og setter meg på hella og begynner å file opp saga så sakte og systematisk jeg kan til eggen på hver sagtann i kjedet står skinnende blank. Jeg veit ikke hvor jeg har lært å gjøre dette. Antakelig har jeg sett det på film; en dokumentarfilm fra de store skogene eller en spillefilm fra skogsmiljø. Du kan lære mye av å se på film hvis du har en god hukommelse, se hvordan folk gjør ting og har gjort dem bestandig, men det er ikke mye arbeid i moderne filmer, det er bare ideer. Tynne ideer og noe de kaller humor, alt skal være morsomt nå. Men jeg hater å bli underholdt, jeg har ikke tid til det.

Jeg har i hvert fall ikke lært å file motorsag av faren min, har ikke sett han gjøre det og kan ikke herme han uansett hvor lenge jeg leiter i hukommelsen. Énmannssaga var ikke kommet til de norske skogene i

1948. Det fantes bare noen tunge maskiner det måtte fem mann til å bære eller de måtte fraktes med hest, og dem var det ingen som hadde råd til. Så da faren min skulle avvirke skogen på setra den sommeren for mange år siden, ble det gjort som det alltid var blitt det i de traktene; flere menn i sving med tigersvans og kvistøks og helt rein luft å puste i, og hest med erfaring og kjettingslep til elva der ei velte ble lagt opp til venting og tørk ved bredden og eierens merke hogd inn i hver stokk, og da det som skulle felles var nede og barka så godt det lot seg gjøre, ble stokkene rulla og dratt ut i vannet med fløterhaker av én mann i hver ende, og et gjallende avskjedsrop sendt ut over elva med ord så gamle at ingen lenger visste hva de betydde og det flate plasket og så sakte ut i strømmen før alt skøyt fart og god tur!

Jeg reiser meg fra steinhella med den nyfilte saga i hånda og legger den på sida og skrur opp de to lokkene og heller i bensin og etterfyller olje og skrur lokkene godt på plass igjen. Jeg plystrer på Lyra som med én gang kommer løpende fra noe alvorlig gravearbeid bak huset, og med termosen under armen går jeg bort til skogkanten der tørrgrana ligger lang og tung og nesten hvit i lyngen uten spor av barken som før har dekka hele stammen. Etter to kjappe forsøk får jeg saga i gang, justerer sjåken og lar kjedet gå i løse lufta, det kvíner i skogen, jeg tar på meg øreklokkene, og så lar jeg sagsverdet synke i tre. Det spruter av sagflis mot buksa, hele kroppen min dirrer.

6

Det var duften av nyfelt tømmer. Den bredte seg fra veien til elva, den fylte lufta og dreiv over vannet og trengte seg inn alle steder og gjorde meg nummen og ør i hodet. Jeg var midt i alt. Jeg lukta av kvae, klærne mine lukta, og håret mitt lukta, og huden min lukta av kvae når jeg lå i køya og sov om natta. Jeg slokna med den og våkna med den og kjente den hele dagen. Jeg *var* skog. Jeg sprang med kvistøksa til knes i granbar og hogde av greiner sånn som faren min hadde vist meg; tett inntil stammen så ingenting stakk ut og kunne hindre barkespaden eller hekte seg fast eller skade den i føttene som kanskje måtte løpe på stokkene når fløtet floka seg til og lagde tømmervaser i elva. Jeg svingte øksa til høyre og venstre i en sugende rytme. Det var tungt, det var som om alt slo tilbake fra alle hold og ingenting ga tapt av seg sjøl, men det brydde meg ikke, jeg var sliten uten å kjenne det, og jeg bare fortsatte. De andre måtte holde meg igjen, de tok meg i skulderen og dytta meg ned på en stubbe og sa jeg var nødt til å sitte på den og hvile ei stund, men jeg fikk kvae i rompa, det kribla i beina, og jeg reiste meg fra stubben med en raspende lyd og greip øksa. Sola steikte, og faren min lo. Jeg var som berusa.

Det var faren til Jon, og det var mora til Jon noen

deler av dagen med det helt lyse håret mot det djup-grønne baret på vei opp fra båten med mat i en korg, og det var en mann som het Franz med z. Han hadde voldsomme underarmer med ei stjerne tatovert helt nederst på den venstre, og han bodde i et lite hus rett ved brua og så elva strømme forbi hver eneste dag hele året og visste alt det som gikk an å vite om hva som foregikk på vannet. Og det var faren min og jeg, og det var Brona. Jon var ikke med, de sa han hadde reist til Innbygda med bussen noen dager etter begra-velsen, men hva han skulle i Innbygda, sa de ingen-ting om, og jeg spurte ikke. Det jeg tenkte på da, var om jeg noen gang fikk se han igjen.

Vi begynte om morgenen rett etter sju og holdt på til kvelden da vi stupte i seng og sov som døde til vi våkna med lyset og begynte på nytt. Ei stund så det ut som det ikke ville ta slutt med trær, for du kan gå på en sti og tenke at det du har rundt deg er en pen liten skog, men når hvert grantre skal felles med tiger-svans, og du begynner å telle, kan du lett miste motet og tru at du aldri vil komme til endes. Men når du er godt i gang, og alle er inne i den riktige rytmen, har begynnelsen og slutten ingen betydning, ikke der, ikke da, og det eneste viktige er at du holder på til alt len-ker seg sammen til en egen puls som dunker og går av seg sjøl, og du har pause til riktig tid og jobber igjen, og spiser nok, men aldri for mye, og drikker nok, men aldri for mye, og sover godt når det er tida for det; om natta i åtte timer, og i hvert fall én time på dagen.

Jeg sov om dagen, og faren min sov, og faren til Jon og Franz sov, bare mora til Jon sov ikke. Når pausen vår kom, og vi la oss i lyngen under hvert vårt tre og lukka øynene, gikk hun ned til båten og rodde hjem til Lars for å stelle for han, og når vi våkna, var hun som regel tilbake, eller vi hørte åretakene fra elva og visste at hun var på vei. Da hadde hun ofte med seg ting som vi trengte, redskap hun hadde fått beskjed om å hente eller ny mat i kurven, noe hun hadde bakt og som gleda oss alle, og jeg skjønte ikke hvordan hun orka, for hun sto på og jobba så hardt som en mann. Og hver gang så jeg faren min ligge med halvlukka øyne og kikke på henne der hun kom gående, og jeg gjorde det sjøl, jeg greide ikke la være, og fordi *vi* gjorde det, gjorde faren til Jon det også, på en annen måte enn jeg hadde sett han gjøre det før, og det var vel ikke så rart. Men jeg trur ikke det vi så var det samme, for det *han* så, gjorde han brydd og tydelig forundra. Det *jeg* så ga meg lyst til å felle den høyeste grana og se den tippe over og falle med et sus og et brak som ga gjenlyd i dalen og kviste den sjøl i rekordfart og barke den sjøl uten pause enda *det* var den hardeste jobben og slepe den til elva med bare hendene og min egen rygg uten hjelp av hverken hest eller mann og hive den i vannet med de kreftene jeg plutselig kjente at jeg hadde, og spruten skulle stå høy som et hus inne i Oslo.

Hva faren min tenkte, visste jeg ingenting om, men også han tok i litt ekstra når mora til Jon var til stede, og det var hun jo ofte, så etter hvert som dagene gikk, ble vi dyktig slitne begge to. Men han spøkte og lo, og da gjorde jeg det samme. Vi var høyt oppe uten helt å vite hvorfor, i hvert fall visste ikke jeg det, og Franz var også i godt humør, og med bulende muskler og rungende stemme slo han om seg med det ene fyndordet etter det andre mens han svingte øksa, til og med én gang da han var uforsiktig og så vidt kom seg unna ei gran på vei ned, og en grein slo lua hans av hodet. Han slapp øksa og snurra rundt med hendene rett ut til sidene som en danser og flirte stort mens han ropte:

– Jeg har blanda blod med skjebnen og tar det som kommer på strak arm! Og jeg så det for meg helt klart hvordan han sto der under et fallende tre som var tungt og sprekkeferdig av bedøvende saft og stoppa det med bare hendene, og blodet som rant blankt og rødt fra den røde stjerna på underarmen. Faren min klødde seg på haka og rista på hodet, men han kunne ikke la være å smile.

– Faren din tar en sjans, sa Franz i en pause. Jeg satt på en stein ved elvebredden og masserte de ømme skuldrene mine og så ut over vannet, og han sto der plutselig ved siden av meg og sa: – Faren din tar en sjans når han vil hogge tømmer midt på høysommeren og sende det ned elva med én gang. Det står fullt av saft, som du kanskje har lagt merke til. Det hadde jeg lagt merke til, det var ikke fritt, og det gjorde jobben hardere, for hver stokk hadde en egenvekt som var bortimot dobbelt av hva den ville hatt på ei annen tid av året, og gamle Brona greide ikke trekke så mange av gangen som hun ellers ville gjort.

– Det kan komme til å synke. Vannstanden er ikke mye å skryte av heller, og den blir lavere. Jeg sier ikke mer. Men vil han gjøra det nå, så gjør vi det nå. Det er greit for meg. Her er faren din sjefen.

Og han *var* det. Jeg hadde egentlig ikke sett han på

den måten før, med voksne menn i en situasjon der en jobb skulle utføres, og han hadde en autoritet som fikk andre til å vente på hva han skulle si om hvordan han ville ha det, og så bare fulgte de opp det han sa som det naturligste av verden, enda de sjøl måtte vite bedre og helt sikkert hadde lengre erfaring. Inntil da hadde det aldri falt meg inn at det var flere enn jeg som opplevde han sånn, og aksepterte det, at det var noe annet og mer enn et forhold mellom far og sønn.

Ved elva vokste tømmervelta seg større og større til vi ikke lenger fikk stokkene opp på toppen, og vi begynte på en ny. Brona kom ned fra de øverste delene av skogen vår og svingte på plass foran elva der vi holdt på, og det klinka i kjettinger og blinka av sola på vannet, og hesten var mørk og varm og svett i store flekker og lukta sterkt som bare en hest kan gjøre og ikke som noe jeg noen gang hadde kjent inne i byen. Det lukta godt, syntes jeg, og når hun sto stille med hengende hode etter et trekk, kunne jeg legge panna mot den ene flanken og kjenne de stive håra skrubbe mot huden og bare puste der tett inntil *det*, og ingen behøvde styre henne eller følge henne engang, for etter et par turer visste hun godt hvordan alt skulle være. Men faren til Jon var likevel med og holdt henne i helt slakke tømmer, og ved elva sto faren min klar med fløterhaken lang som ei lanse på et bilde fra en turnering i riddertidas England. Sammen dro de stokkene på plass så høyt som de klarte, og det var enkelt i begynnelsen, og så ble det vanskelig og mer enn det, men de ville ikke gi seg, og etter hvert var det lett å se at de hadde begynt å konkurrere med hverandre. Når den ene var i ferd med å gi opp og mente de ikke kunne komme høyere, ville den andre fortsette.

– Kom an! ropte faren til Jon, og de smelte hakene inn i hver sin ende av stokken, og faren min ropte:

– Hiv! Og faren til Jon ropte tilbake:

– Hal i og dra, for svarte! og det var så vidt han hadde kontroll over stemmen sin, og jeg skjønte plutselig at det han gjorde var å utfordre faren min sin autoritet, og de tok i og dro og vippa så svetten silte og skjortene sakte ble mørke på ryggen og blodårene sto ut i panna og på halsen og på armene så blå og tjukke som elver på et verdenskart; Rio Grande, Bramaputra, Yangtsekiang. Til slutt ble det helt umulig, de kom ikke høyere, og det var det ingen vits i heller, vi kunne jo bare begynne på ei ny velte, og den ville uansett bli den siste, for vi hadde holdt på ei uke, og nå så vi enden på hogsten, og det vi hadde fått til og lagt opp av tømmer helt gult og barka langs bredden var så imponerende for meg at jeg nesten ikke kunne skjønne at jeg hadde vært med på det. Men de ga seg ikke. De ville ha opp én stokk til, og så enda en, i hvert fall ville den ene av dem det, og hvilken den ene var, så ut til å skifte. De rulla dem opp på to tverrstokker som lå skrått lent opp mot velta, og det var så bratt at de burde brukt reip og stått på toppen med reipene festa der oppe et sted og så slynga ned i to løkker rundt stokken og opp igjen omtrent som ei trinse så tyngden ble halvert når de skulle hale den på plass. Franz hadde vist meg hvordan det skulle gjøres. Men de gjorde ikke det, de brukte bare fløterhakene fra hver sin side, og det var så tungt nå at det begynte å bli farlig, for det var dårlig feste for føttene og nesten umulig å gjøre noe i takt.

Det skulle egentlig vært pause. Jeg hørte Franz rope med tilgjort desperat stemme:

– Kaffe, nå! Jeg dør! fra et sted helt øverst ved veien, og jeg sto med verkende armer og glodde på de to voksne mennene som fortsatt holdt på, og de stønna høyt i varmen og ville ikke gi seg, og mora til Jon kom også ned på vei til båten for å ro hjem til Lars, men hun stoppa og ble stående ved siden av meg og se.

Jeg kjente henne stå der, hudvarm og utvaska kjoleblå, og fordi hun ikke gikk rett ned til båten som hun pleide og satte seg oppi og stakk årene ut, ble jeg sikker på at det kom til å skje noe, at det var et tegn, og jeg tenkte jeg skulle rope til faren min og be han stoppe med det tullet han hadde vikla seg inn i. Men jeg var ikke overbevist om at han ville like det noe særlig, sjøl om han ofte hørte på hva jeg mente om ting og tok hensyn til det, hvis jeg hadde noe fornuftig å komme med, noe jeg ofte hadde. Jeg snudde meg og så på mora til Jon, som ikke hadde *noe* med Jon å gjøre nå, eller det var kanskje nettopp dét hun hadde, men at hun var to forskjellige personer, og vi var like høye og like lyse i håret etter flere uker i den gnistrende sola, men ansiktet som nettopp hadde vært åpent, ja nesten nakent, var lukka nå, bare øynene hadde et drømmende uttrykk som om hun ikke var til stede og så det samme som jeg så, men noe bakenfor det, noe større som jeg ikke hadde begrep om, men jeg forsto at ikke hun heller ville si noe for å stoppe de to mennene, at for henne kunne de gå linja ut og få avgjort noe *jeg* ikke kjente til, én gang for alle, at det kanskje var akkurat det hun ville. Og det var litt skremmende. Men i stedet for å la det støte meg bort, lot jeg det dra meg inn, hvor skulle jeg ellers gjøre av meg? Det var ingen andre steder å gå, ikke for meg aleine, og jeg tok ett skritt nærmere og sto helt inntil henne så hofta mi så vidt rørte hofta hennes. Jeg trur ikke hun merka det engang, men *jeg* merka det som et støt i kroppen, og de to på velta merka det, og de så ned på oss og falt ut av rollene et øyeblikk, og da gjorde jeg noe som overraska meg sjøl. Jeg la armen rundt skulderen hennes og dro henne til meg, og den eneste jeg hadde gjort akkurat dét med før var mora mi, men dette var ikke mora mi. Det var mora til Jon som dufta sol og kvae som *jeg* sikkert også gjorde, men i tillegg noe mer som fikk meg til å svimle, som skogen gjorde meg svimmel og nesten på gråten, og jeg ville ikke at hun skulle være mora til noen, hverken levende eller døde. Og det merkelige var at hun ikke flytta seg, men lot armen ligge og lente seg svakt mot skulderen min, og jeg forsto ikke hva hun ville, hva jeg sjøl ville, men jeg holdt enda fastere, livredd og lykkelig, og kanskje var det bare fordi jeg var den som sto nærmest med en arm hun trengte, eller fordi jeg var sønnen til noen, og for første gang i livet mitt ville jeg ikke *være* sønnen til noen. Ikke til mora mi inne i Oslo, ikke til mannen som sto der på velta og var så overraska over det han så at han retta seg opp og lot fløterhaken bare så vidt glippe i hendene enda de var midt i et hal i og dra, men det var mer enn nok, og faren til Jon, som så like overraska ut, forsøkte å beholde grepet. Men det greide han ikke, og stokken svingte som en propell helt rundt og traff han mot føttene før den rulla skeivt ned over kanten, og jeg *hørte* det ene beinet hans brekke som en tørr kvist før han falt forover og ned på sida av velta med skulderen først og landa på bakken med et dunk. Alt sammen skjedde så fort at jeg fikk det ikke med meg før det var over. Jeg bare *så*. Faren min sto aleine og ute av balanse på toppen av velta med fløterhaken viftende i den ene hånda, elva strømmende bak han og den blå himmelen nesten hvit av hete. Faren til Jon lå på bakken og stønna stygt, og kona hans jeg holdt så hardt og mjukt rundt skulderen i øyeblikket før, hadde våkna fra drømmen hun var inne i og revet seg løs og løp bort til velta. Hun sank ned på kne og bøyde seg over mannen sin og la hodet hans i fanget, men hun sa ingenting, bare rista på sitt eget hode som om han hadde vært en uskikkelig gutt for sjuhundreogfemtiende gang, og hun var i ferd med å gi opp, i hvert fall så det sånn ut fra der jeg sto. Og jeg kjente for første gang et blaff av bitterhet mot faren min fordi han hadde ødelagt det mest komplette øyeblikket i livet mitt til da, og plutselig fylte det meg helt, på grensa til raseri, jeg skalv på hendene og begynte å fryse midt i den varme sommerdagen, og jeg husker ikke engang om jeg syntes synd på faren til Jon som tydelig hadde smerter; i beinet han hadde brukket og i skulderen som han landa på. Og så begynte han å ule. Trøstesløse ul fra en voksen mann fordi han hadde vondt og sikkert òg fordi han nettopp hadde mista den ene sønnen sin, og en annen var reist hjemmefra, kanskje for alltid, hva visste vel han, og akkurat nå fordi alt så helt håpløst ut. Det var ikke vanskelig å forstå. Men jeg trur ikke jeg syntes synd på

87

han da heller, for jeg var så full av mitt eget at jeg holdt på å sprekke, og kona hans bare rista på det bøyde hodet, og bak meg hørte jeg Franz komme ned stien i tunge klyv. Til og med Brona kasta med manken og rykka i skjekene. Fra nå av blir ingenting som før, tenkte jeg.

Det hadde vært trykkende varmt i flere dager, og denne dagen var spesielt ille. Det lå noe i lufta, som man sier, den var metta med fuktighet, og svetten rant striere enn vanlig, og ut på ettermiddagen begynte det å skye over uten at temperaturen sank. Før kvelden kom var det helt svart på himmelen. Men da hadde vi fått faren til Jon over elva i en av båtene og videre til legen i Innbygda med den ene av de to bilene på stedet, og den var så klart Barkald sin, og han satt sjøl ved rattet den lange kjøreturen. Mora til Jon måtte bli hjemme hos Lars, han kunne ikke være aleine i så lang tid, og jeg tenkte at det måtte være ensomt og stusselig og vanskelig for henne å gå der aleine med gutten og vente og ikke ha noen voksne å snakke med. At de to i bilen hadde noe særlig å si til hverandre på veien, har jeg vanskelig for å forestille meg.

Da det første lynet kom, satt faren min og jeg aleine ved bordet i hytta og så ut av vinduet. Vi hadde nettopp spist uten å si noe i det hele tatt, og det skulle egentlig vært lyst da, vi var fortsatt i juli, men det var mørkt som en kveld i oktober, og plutselig blinka det, og vi kunne se de trærne som sto igjen etter hogsten og veltene ved elvebredden og vannet i elva og helt over til den andre sida uten problemer. Rett etter kom et skrall som fikk hytta til å riste.

– Det var som faen, sa jeg.

Faren min snudde seg fra vinduet og så skeptisk på meg.

– Hva sa du? sa han.

– Det var som *faen*, sa jeg.

Han rista på hodet og sukka. – Jaja, du får tenke på konfirmasjonen, sa han, – gjør det. Og så begynte det å regne, lett først, men etter noen minutter slo det mot taket så vi knapt kunne høre hva vi tenkte der vi satt ved bordet. Faren min la hodet bakover med ansiktet rett opp som om han kunne se vannet gjennom himlinga og bjelkene og skifersteinen og håpte at kanskje noe av det ville treffe han i panna. Han lukka i hvert fall øynene, og det ville nok vært godt for oss begge etter denne dagen, å få kaldt vann i ansiktet. Han må ha tenkt det samme, for han reiste seg fra bordet og sa:

– Har du lyst på en dusj?

– Ikke meg imot, sa jeg. Og så fikk vi plutselig dårlig tid og spratt ut på golvet og begynte å rive av oss klærne i full fart og sparka dem til høyre og til venstre, og faren min løp naken bort til vaskekrakken og dyppa såpa i vannbøtta. Han så like merkelig ut som jeg gjorde; senete brunbrent fra toppen til navlen og kritthvit fra navlen og ned, og han gnei seg inn alle steder han kom til med såpa over hele kroppen som til slutt var dekka med skummende virvler, og så kasta han såpa til meg, og jeg gjorde det samme så fort jeg var i stand til.

– Førstemann ut, ropte han og storma mot døra. Jeg løp til som en amerikansk fotballspiller for å skjære av kursen hans og dytte han ut av balanse, og da greip han etter skulderen min for å holde meg fast, men jeg var så glatt av såpe at han fikk ikke tak. Han begynte å le og ropte:

– Din helvetes slimål! og det kunne *han* si, for han var konfirmert for mange år siden, og vi kom likt fram og trengte oss tett sammen, kropp mot kropp gjennom den trange døråpninga for om mulig å være førstemann ut, og vi ble stående på trammen under takutspringet og se vannet smelle i bakken overalt omkring oss. Det var imponerende og nesten avskrekkende, og et øyeblikk bare sto vi der og glodde. Så trakk faren min pusten djupt og demonstrativt høyt og skreik:

– Det er nå eller aldri! før han sprang ut til midt på tunet og begynte å danse kliss naken med armene i været og vannet sprutende mot skuldrene. Jeg løp etter han ut i det fossende regnet og stilte meg der hvor han sto og hoppa og dansa og sang *Norge i rødt hvitt og blått*, og da begynte han også å synge, og på null komma niks var såpa skylt av kroppene våre og varmen likeså, og vi var blanke og skinnende i huden som to seler og antakelig like kalde å ta på.

– Jeg fryser, ropte jeg.

– Jeg også, ropte han tilbake, – men vi holder litt til!

– OK, ropte jeg, og slo meg mot magen med flat hånd og tromma mot låra for å få temperaturen til å stige i den numne huden til jeg fant ut at jeg skulle stå på hendene, for jeg var ganske sprek på den måten, og jeg ropte:

– Kom an, til faren min, og jeg bøyde meg ned og svingte opp i håndstående, og da måtte han gjøre det samme. Og så gikk vi der på hendene i det våte graset mens regnet slo mot rompa på en måte som var så isnende rar at jeg måtte tilbake på føttene etter kort tid, men aldri har vel noen vært så reine i baken som oss da vi løp inn i hytta igjen og tørka oss i to store håndklær og masserte huden med det grove tøyet for å få tilbake følelsen og varmen, og faren min la hodet på skakke og så på meg og sa:

– Du er jo blitt voksen.

– Ikke helt, sa jeg, for jeg visste at det foregikk ting omkring meg som jeg ikke forsto, og som de voksne forsto, men at det ikke var så langt igjen nå, at jeg var kloss på.

– Nei, kanskje ikke helt, sa han.

Han dro hånda gjennom det våte håret, og med håndkleet knytta rundt hoftene gikk han bort til svartovnen, reiv opp en gammal avis og tulla den sammen og stakk den inn i brennkammeret, danderte tre vedkubber omkring papiret og tente på. Så lukka han ovnsdøra, men lot askeluka stå åpen for trekk, og den gamle knusktørre veden begynte å knitre med én gang. Han ble stående tett inntil ovnen med armene løfta, halvt bøyd over de svarte jernplatene og lot den begynnende varmen sige opp langs magen og brystet. Jeg sto der jeg sto. Jeg så på ryggen hans. Jeg visste han ville si noe. Han var faren min, jeg kjente han godt.

– Det som skjedde i dag, sa han, fortsatt med ryggen til. – Det var helt unødvendig. Sånn som vi holdt på, måtte det gå gæernt til slutt. Jeg skulle stoppa det lenge før. Det var i min makt, ikke i hans. Forstår du? Vi er voksne menn. Det var min skyld det som skjedde.

Jeg sa ingenting. Jeg visste ikke om han mente at han og jeg var voksne menn, eller om han mente det var han og faren til Jon som var det. Jeg tippa det siste.

– Det var utilgivelig.

Det var jo riktig, jeg skjønte det, men jeg likte ikke at han tok på seg skylda sånn uten videre, jeg syntes det var diskutabelt, og hvis *han* hadde skyld, så hadde jeg det også, og sjøl om det var ille å skulle være ansvarlig for at sånne ting skjedde, gjorde han meg mindre ved å utelate meg. Jeg kjente bitterheten komme igjen, men mildere denne gangen. Han snudde seg fra ovnen, og i ansiktet hans kunne jeg lese at han visste hva jeg tenkte, men at det ikke fantes noen måte å kommentere det på som ville gjøre det lettere for oss. Det ble for komplisert, jeg greide ikke tenke på det mer, ikke den kvelden. Jeg følte skuldrene synke sammen, øyelokkene gli igjen, jeg løfta hendene og gnei dem med knokene.

– Er du trøtt, sa han.

– Ja, sa jeg. Og jeg *var* trøtt. Trøtt i kroppen og trøtt i hodet og matt i huden, og jeg ville ikke annet enn å legge meg i køya under dyna og sove og sove til det ikke gikk an å sove mer.

Han strakte armen ut og ruska meg i håret, og så tok han ei fyrstikkeske fra hylla over ovnen og gikk bort og tente parafinlampa over bordet, blåste ut fyrstikken og åpna døra til ovnen og kasta den inn i flammene. I det gule lyset fra lampa så vi kanskje enda merkeligere ut med de brunhvite kroppene våre. Han smilte og sa:

– Gå og legg deg først, du. Jeg kommer etter.

*

Men han gjorde ikke det. Da jeg våkna om natta og kjente jeg måtte en tur på do, var han ingen steder å se. Jeg gikk søvndrukken gjennom stua, og han var ikke der, og jeg åpna døra til trammen og kikka ut, og det hadde slutta å regne, men han var ikke på tunet heller, og da jeg kom tilbake, var køya hans redd opp og militært strøken og så ut akkurat som den hadde gjort siden morgenen før.

7

Tørrgrana er kvista og kappa med motorsaga til passende vedkubbelengder; omtrent halvparten av en hoggestabbe, og jeg har frakta stubbene tre av gangen i ei trillebår og helt dem ut i en haug på plassen foran vedskjulet, og nå ligger de stabla i todimensjonal pyramideform nesten to meter høyt inntil veggen under takskjegget. I morgen begynner arbeidet med å kløyve dem. Det gikk fint *så* langt, jeg er fornøyd med meg sjøl, men den ryggen tåler ikke mer i dag. Dessuten er klokka blitt over fem, sola har gått ned i det som må være vest, sørvest, skumringa kommer sigende fra skogkanten der jeg nettopp har holdt på, og det er et passende tidspunkt å bryte av. Jeg tørker klinete sagmugg og bensin- og oljesøl av saga med ei fille til den er bortimot rein og stiller den luftig på en krakk i vedskjulet, lukker døra og går over tunet med den tomme termosen under armen. Så setter jeg meg ned på trammen og drar de fuktige støvlene av beina og banker flis ut av begge støvelskaftene og børster buksebeina nederst. Jeg børster sokkene, slår dem hardt med arbeidshanskene og plukker det siste med fingrene. Det blir en pen liten haug på grusen. Lyra sitter og ser på meg med ei grankongle i munnen, den stikker ut som en utent sigar av den helt tjukke typen, og hun vil at jeg skal kaste den, sånn at hun kan fly etter og hente, men har vi først begynt med den leken, vil hun bare fortsette og fortsette, og jeg har ingen krefter igjen.

– Sorry, sier jeg, – en annen gang. Jeg klapper det gule hodet, stryker henne over halsen og drar henne lett i øra, noe hun liker godt. Hun slipper kongla og går opp og setter seg på dørmatta.

Jeg stiller støvlene rett utafor døra med hælene mot veggen og går i sokkelesten inn gjennom gangen til kjøkkenet. Der skyller jeg termosen i glovarmt vann fra springen og setter den til tørk på benken for seinere bruk. Det er bare to uker siden jeg fikk installert varmtvannstank. Det hadde aldri vært det her før. Bare en utslagsvask på veggen med ei kaldtvannskran over. Jeg ringte en rørlegger som godt kjente plassen jeg bodde på, og han sa jeg måtte grave meg ned til vannrøret i ei to meters renne på utsida av veggen sånn at han kunne forandre vinkelen på røret og retninga inn på kjøkkenet under grunnmuren for å få det til. Og jeg måtte gjøre det faderlig fort, før tælan satte seg. Rørleggeren ville ikke grave sjøl, han var ikke kroppsarbeider, sa han. Det var greit for meg, men det var tungt, bare grus og stein helt ned. Noen steiner var veldig store. Jeg bor på en morenerygg, viser det seg.

Nå har jeg oppvaskbenk som alle andre. Jeg ser meg i speilet over vasken. Ansiktet der er ikke annerledes enn det jeg hadde venta å se ved fylte sjuogseksti år. Jeg er for så vidt i takt med meg sjøl. Om jeg liker det jeg ser, er annet spørsmål. Men det spiller ingen rolle. Det er ikke mange jeg skal vise meg for, og jeg har bare det ene speilet. For å være ærlig, har jeg ingenting imot ansiktet i speilet. Jeg anerkjenner det, jeg kjenner meg igjen. Mer kan jeg ikke forlange.

Radioen står på. De snakker om det kommende tusenårsjubileet. De snakker om vanskelighetene som helt sikkert vil oppstå ved overgangen fra de trauste 97, 98, 99 til oo i alle datasystemene, at en ikke veit hva som kan skje, men at en må sikre seg mot det eventuelt katastrofale, og at norsk industri er forunderlig treig med å ta forholdsregler. Jeg har ikke noe greie på det der, og det interesserer meg ikke. Det eneste jeg er sikker på, er at en haug konsulentfirmaer som minst like lite veit hva som vil skje, er ute etter å tjene penger. Noe de sikkert også kommer til å gjøre og allerede har gjort.

Jeg finner fram den minste kjelen, vasker noen poteter og putter dem oppi, fyller på med vann og setter kjelen på komfyren. Jeg kjenner jeg er sulten, arbeidet med tørrgrana har fått i gang appetitten. Jeg har ikke hatt skikkelig matlyst på flere dager. Potetene har jeg kjøpt på butikken, neste år vil jeg ha mine egne i den gamle kjøkkenhagen bak uthuset. Den har grodd helt til og må graves opp igjen, men det skal jeg nok greie. Det er bare å bruke den tida det tar.

Det er viktig at ikke middagen forfaller når du er aleine. Det er fort gjort, kjedelig som det er å lage mat til bare én. Det skal være poteter, saus og grønnsaker, serviett og nyvaska glass og tent lys på bordet, og ikke noe med å sette seg på stolen i arbeidstøyet. Så når potetene koker, går jeg inn på kammerset og skifter bukse, tar på rein, hvit skjorte og går tilbake til kjøkkenet og legger en duk på bordet før jeg har smør i panna og steiker den fisken jeg sjøl har dratt opp av sjøen.

Ute har den blå timen begynt. Alt rykker nærmere; uthuset, skogkanten, sjøen over trærne, det er som om den farga lufta binder verden sammen og ingenting fins der ute bare én og én. Det er fint å tenke på, men jeg er ikke så sikker på at det er sant. Det er bedre å være fristilt, men for øyeblikket gir den blå verden en trøst jeg ikke veit om jeg vil ha, og ikke trenger, og tar imot likevel. Jeg setter meg til bordet med en god følelse og begynner å spise.

Og så banker det på døra. At det banker er jo ikke rart siden jeg ikke har ringeklokke, men ingen har vært på den døra med hånda si så lenge jeg har bodd her, og de gangene noen har kommet, har jeg hørt bilen på forhånd og gått ut på trappa for å ta imot. Men jeg har ikke hørt noen bil, og har ikke sett lysene fra noen heller. Jeg reiser meg fra måltidet jeg nettopp har begynt på, en tanke irritert, og går ut i gangen og åpner døra. På trappa står Lars, og bak han på tunet sitter Poker, lydig og stille. Lyset ute virker nesten kunstig, som på filmer jeg har sett; blått, iscenesatt, lyskilden ikke synlig, men hver enkelt ting helt tydelig og samtidig sett gjennom samme filter, eller alt lagd av samme stoff. Til og med hunden er blå, den beveger seg ikke; en modelleirehund.

– God kveld, sier jeg, enda det vel egentlig fortsatt er ettermiddag, men med dette lyset er det ikke mulig å si noe annet. Lars virker brydd der han står, eller det er noe annet, noe med ansiktet hans, og det er det samme med hunden; en stivhet i kroppen de deler, og ingen av dem ser rett på meg, de venter og holder igjen, og til slutt sier han:

– God kveld, og så blir han bare stille og sier ikke

mer, ingenting om hva han vil, og jeg veit ikke hva jeg skal si for å hjelpe han på vei.

– Jeg skulle akkurat til å spise, sier jeg, – men det gjør ingenting, kom inn en tur. Jeg åpner døra helt og slår ut med hånda og er sikker på at han vil avslå, at det han skal si vil bli sagt der på trappa, om han bare får forma de orda han sliter med. Men så bestemmer han seg og tar det siste skrittet mot døra, snur seg mot Poker og sier:

– Du sitter her, og peker på trappa, og Poker går opp på trappa og setter seg der, og jeg tar ett steg til side og slipper Lars inn i gangen. Jeg går først inn på kjøkkenet og stiller meg ved bordet der stearinlysene blafrer i trekken når han kommer etter og lukker døra.

– Er du sulten, sier jeg, – her er det mat nok til to, og det er for så vidt sant, jeg lager bestandig for mye, overvurderer min egen appetitt, og den andre porsjonen er det alltid Lyra som får, og det veit hun og er svært så fornøyd når jeg setter meg ned for å spise. Da ligger hun ved ovnen og følger meg oppmerksomt med øynene og venter. Nå har hun reist seg fra plassen sin og står og logrer og sniffer på buksa til Lars. Den kunne trengt til en vask, det kan vi fort bli enige om.

– Slå deg ned, sier jeg og venter ikke på svar, men henter en tallerken i hjørneskapet og dekker på med bestikk, serviett og glass. Jeg heller øl i glasset hans og øl i mitt. Litt snø mot ruta nå, og det ville sett ut som julaften. Han setter seg faktisk, og jeg kan se at han skotter beklemt på den reine, hvite skjorta mi. Det gjør ikke meg noe hva han har på seg, de reglene jeg følger gjelder bare for meg, men jeg forstår at uansett hva det var han hadde tenkt å si, har jeg ikke gjort det lettere for han nå. Jeg setter meg og ber han forsyne seg, og han tar ett stykke fisk og to poteter og litt saus, og jeg tør ikke se bort på Lyra, for det var omtrent det *hun* ville fått. Vi begynner å spise.

– Det smakte godt, sier Lars, – har du tatt den sjøl?

– Ja visst, sier jeg, – nede ved elvemunninga.

– Det kan være bra med fisk der. Særlig abbor, sier han, – men gjedde også, rett ved sivet, og noen ganger ørret, om en er heldig, og jeg nikker og spiser helt rolig og venter på at han skal komme til saken. Ikke for det, han kan godt komme hit og spise middag uten at det skal være fordi han har et ærend. Men til slutt tar han en stor slurk av glasset med øl, tørker seg med servietten før han legger hendene i fanget, kremter og sier:

– Jeg veit hvem du er.

Jeg slutter å tygge. Jeg ser ansiktet mitt sånn som det nettopp var i speilet, veit han hvem dét er? Bare jeg veit det. Eller kanskje husker han avisene fra tre år siden med det store bildet av meg stående midt på veien i det iskalde regnet, og blodet og vannet som rant fra håret og fra panna og ned over skjorta mi og slipset, og det speilblanke, forvirra uttrykket i øynene mine mot kamera, og rett bak meg, så vidt synlig, den blå Audien med bakenden i været og fronten godt nede i steinura. Den mørke, våte fjellveggen, ambulansen med bakdørene åpne og ei båre med kona mi på vei inn, politibilen med blålyset på, det blå pleddet over skuldrene mine, og en lastebil stor som en tanks på tvers av den gule midtstripa, og regn, regn på den kalde, skinnende asfalten der alt speila seg dobbelt som jeg så dobbelt av alt i ukene etter. Alle avisene hadde det bildet. Perfekt komponert av en freelance fotograf som satt i en av bilene i køen som demma seg opp i halvtimen etter havariet. Han hadde vært på vei til et kjedelig oppdrag og fikk i stedet en pris for bildet han tok i regnet. Den lave grå himmelen, det splintra autovernet, de hvite sauene i åsen bak. Alt det i ett blikk. Se hit! ropte han.

Men det er ikke det Lars mener. Han har kanskje sett ett av de bildene, det kan godt hende, men det er ikke det han mener. Han har kjent meg igjen, som jeg har gjenkjent han. Det er mer enn femti år siden, vi var bare barn den gangen, han ti år og jeg fortsatt femten og fortsatt redd for alt det som foregikk omkring meg, som jeg ikke forsto, enda jeg visste jeg var så nære på, at om jeg strakte hånda ut så langt jeg greide, kunne jeg kanskje nå helt fram og kjenne hvordan allting var. Det føltes i hvert fall sånn, og jeg husker jeg løp ut av soverommet med klærne i hånda den sommernatta 1948, plutselig panisk fordi jeg forsto at hva faren min *sa* og hvordan ting virkelig hang sammen, ikke nødvendigvis var det samme, og det gjorde verden flytende og vanskelig å holde fast. Det åpna seg et mørke der hvor jeg ikke kunne se over til den andre sida, og ute i natta, en kilometer ned elva lå kanskje Lars våken og aleine i senga si og prøvde å holde *sin* verden fast, mens skuddet han ikke kunne fatte hvor kom ifra fortsatt fylte hver kubikkmeter luft i det lille huset og gjorde at han ikke hørte annet enn det skuddet når folk snakka til han uansett hva de sa, og det var det eneste han ville høre i lang, lang tid.

Nå sitter han rett overfor meg ved bordet mer enn femti år etter og veit hvem jeg er, og til det har jeg ingenting å si. Det er jo ingen anklage, sjøl om det føles svakt som det av en eller annen grunn, og ikke er det et spørsmål, så jeg behøver ikke svare. Men om jeg ikke sier noe, vil det bli veldig stille og vanskelig.

– Ja, sier jeg, og ser rett på han. – Jeg veit hvem du er også.

Han nikker. – Det var det jeg tenkte. Han nikker igjen og tar opp kniv og gaffel og fortsetter å spise, og jeg kan se han er fornøyd. Det var det han skulle ha sagt. Ikke noe mer, ikke noe i tillegg. Det, og en bekreftelse som han nå har fått.

Resten av måltidet føler jeg meg litt beklemt, fanga i en situasjon jeg ikke sjøl har skapt. Vi spiser uten å veksle mange ord, bare lener oss fram og kikker ut gjennom vinduet på tunet der mørket senker seg fort og stille, og vi nikker til hverandre og er enige om at årstida vi er inne i er nettopp den den er; jamen blir det fort mørkt, ja, og så videre, som om det var en nyhet. Men Lars virker tilfreds og gjør seg ferdig med alt han har på tallerkenen, og sier nesten lystig:

– Takk for maten. Det var jamen godt med en ordentlig middag, og er klar til å gå, og når han virkelig går, er han lett på foten uten lommelykt ned veien, mens *jeg* bare føler meg tyngre, og Poker lunter etter han mot brua og den lille hytta og blir sakte oppslukt av kvelden.

Jeg blir stående på trammen ei stund og lytte til skrittene på grusen til de også blir borte, og enda litt til, og så hører jeg det svake smellet gjennom mørket idet Lars lukker døra og ser lyset bli tent i vinduet der nede i hytta ved elva. Jeg snur meg og kikker til alle kanter, men lyset til Lars er det eneste lyset jeg ser. Det begynner å blåse, men jeg står der jeg står og stirrer ut i mørket, og vinden stiger, det suser fra skogkanten, og det er kaldt i bare skjorta, jeg fryser plutselig så jeg hakker tenner, og til slutt må jeg gi opp og går inn og lukker døra.

Jeg rydder av bordet på kjøkkenet, to tallerkener på duken for første gang i dette huset. Jeg føler meg invadert, det er dét, og ikke av hvem som helst.

Det er dét. Jeg tar Lyra si skål ut i spiskammerset og fyller opp med tørrfôr og bærer den tilbake og setter den på plassen foran vedkomfyren. Hun ser på meg, det var ikke det hun hadde venta, hun snuser på maten og begynner bare sakte å spise, svelger hver munnfull demonstrativt tungt, og snur seg og ser på meg igjen, lenge, med *de* øynene, sukker og fortsetter, som var det giftbegeret hun tømte. Bortskjemte hund.

Mens Lyra spiser, går jeg inn i kammerset og tar av meg den hvite skjorta, henger den opp på en kleshenger og drar den rutete hverdagsskjorta over hodet og en genser og går ut i gangen og tar den varme losjakka av knaggen og drar den også på meg. Finner lommelykta og plystrer på Lyra og går ut på trammen i tøflene og bytter til støvler. Det blåser bra nå. Vi går ned veien. Lyra først, og jeg noen meter bak. Jeg kan så vidt skjelne den lyse pelsen, men så lenge jeg ser den, er det den som er retningsviser, og jeg tenner ikke lykta, lar bare øynene ta inn mørket til jeg ikke kniper dem lenger for å fange et lys som for lengst er borte.

Når vi kommer til brua stopper jeg et øyeblikk der rekkverket begynner og kikker bort på hytta til Lars. Det lyser fra vinduene, og jeg ser skuldrene hans i den gule ramma og bakhodet uten et grått hår og TVen som står på i den andre enden av rommet. Han ser på Dagsrevyen. Jeg veit ikke når jeg så Dagsrevyen sist. Jeg tok ikke med meg noen TV ut hit, og det angrer jeg på noen ganger når kveldene blir lange, men jeg har tenkt som så at når du er aleine kan du fort henge fast i de flimrende bildene og stolen du skal sitte i til langt utpå natta, og så går bare tida mens du lar andre bevege seg. Det vil jeg ikke. Jeg har selskap nok i meg sjøl.

Vi går ut av veien og ned langs den lille elva på stien jeg pleier å bruke, men jeg hører ikke vannet som renner, for vinden suser og rasler i trærne og buskene omkring meg, og jeg tenner lykta for ikke å trå feil på stien og så gå rett i elva fordi jeg ikke kan høre hvor den er.

Helt nede ved sjøen følger jeg kanten av sivet til jeg kommer til plassen med benken jeg har snekra og slept ned hit for å ha et sted å sitte og se på livet ved munninga, se om fisken vaker og se endene og svanene som hekker her i vika ved elvemunninga. Det gjør de jo ikke på denne tida av året, men de er her fortsatt om morgenen med kullene de fikk i våres, svanungene like store som foreldrene nå, men fortsatt grå, og det ser merkelig ut, som to forskjellige arter svømmende på linje, like i alle bevegelser, og de trur nok de er like, mens alle kan se at det er de ikke. Eller jeg kan sitte her for bare å la tankene fomle løst av gårde mens Lyra gjør unna de tingene hun pleier å gjøre etter faste mønster.

Jeg finner benken og setter meg ned, men det er jo ingenting å feste seg ved eller se på nå, så jeg slokker lykta og blir sittende i mørket og hører vinden dra gjennom sivet med en høy og sprø lyd. Jeg kjenner hvor sliten jeg er etter denne dagen, jeg har holdt på lenger enn jeg vanligvis gjør, og jeg lukker øynene og tenker at jeg må ikke sovne nå, bare sitte her litt. Og så sovner jeg likevel og våkner kald i hele kroppen med vinden øredøvende rundt meg, og det første jeg tenker er at jeg skulle ønske Lars ikke hadde sagt det han sa, det binder meg fast til ei fortid jeg mente var bak meg og drar de femti åra til side med en letthet som virker nesten uanstendig.

Jeg reiser meg stivt fra benken, plystrer på Lyra, men det går ikke så bra med numne lepper, og så sitter hun allerede helt inntil benken og piper svakt mens hun presser snuta mot kneet mitt. Jeg tenner lykta. Det blåser infernalsk, et virvar mot lysstrålen når jeg svinger den rundt, sivet flatt mot sjøen, hvite topper på vannet, og en ulende lyd i de nakne tretoppene som bøyer seg over og pisker mot sør. Jeg huker meg mot Lyra og stryker henne over hodet.

– Good dog, sier jeg på engelsk, og det høres ganske dumt ut, som noe fra en film jeg har sett en gang, kanskje *Lassie* fra fortidas kino, det skulle ikke forundre meg, eller jeg drømte noe da jeg sov som jeg har glemt nå, og så var dette replikken som hang igjen. Ikke var det Dickens i hvert fall, jeg kan ikke huske noe «good dog» fra bøkene hans, og tåpelig var det uansett. Jeg retter meg opp igjen og drar glidelåsen i jakka helt opp til haka.

– Kom, sier jeg til Lyra, – så går vi hjem, og hun spretter til av bare lettelse og stormer opp stien med halen til værs, og jeg følger etter, ikke fullt så sprek, med hodet senka i jakkekraven og lykta hardt i hånda.

8

Jeg husker helt klart den natta i seterhytta da faren min ikke lå der han hadde sagt at han skulle. Jeg kom ut i stua fra soverommet og kledde fort på meg foran ovnen. Den var fortsatt lun etter kvelden før da jeg lente meg over den, og jeg lytta til natta omkring, men det var ingen lyder som jeg kunne høre annet enn min egen pust som gikk altfor fort og var merkelig hes og pesende i et rom som virka uoversiktlig og stort enda jeg nøyaktig visste hvor mange skritt det var bort til hver vegg. Jeg tvang meg til å puste roligere, trakk lufta helt inn og slapp den bare sakte ut igjen mens jeg tenkte, jeg har hatt det fint i livet mitt opp til i natt, jeg har aldri vært aleine, ikke på ordentlig, og sjøl om faren min hadde vært borte i lange tider av gangen, aksepterte jeg det med en tillit som nå var blåst bort i løpet av et døgn i juli.

Den var langt borte, den brennheite dagen, da jeg åpna døra og gikk ut på tunet i de lange støvlene mine. Det var tomt der og nesten kjølig, men ikke mørkt lenger, det var sommernatt, og over meg slo skyene sprekker mens de dreiv over himmelen i stor fart, og det bleike lyset falt blafrende ned så jeg fint fant fram på stien mot elva. Vannet fløyt raskere nå etter det voldsomme regnet, med høyere føring mot steinene langs bredden, og det heva seg og duva og skinte som matt sølv, jeg kunne se det på langt hold, og lyden av strømmen var den eneste lyden jeg hørte.

Båten var borte fra plassen sin. Jeg gikk ut i vannet noen skritt og ble stående og lytte etter åretak, men det var bare elva som dro rundt beina, og ingenting kunne jeg se hverken opp eller ned. Tømmerveltene var der jo, og de dufta sterkt i den fuktige lufta, og den krokete furua med det oppspikra korset på stammen var der, og engene var der på den andre sida fra elvebredden til veien, men bare skyene på himmelen bevegde seg, og det blafrende lyset. Det var en merkelig følelse å stå ute i natta aleine, nesten som lys eller lyd gjennom kroppen, som mjuk måne eller lyden av bjeller, med vannet strømmende rundt støvelskaftene, og alt annet omkring var så stort og så stille, men jeg kjente meg ikke fortapt, jeg kjente meg utpekt. Jeg var helt rolig nå, jeg var sentrum der jeg sto. Det var elva som gjorde det, ingen tvil, jeg kunne senke meg i vannet opp til haka og sitte stille og føle strømmen dunke og dra i kroppen, og fortsatt være den jeg var, fortsatt være sentrum. Jeg snudde meg og så opp mot hytta. Vinduene var mørke. Jeg ville ikke inn dit igjen, det var ingen glød der, de to rommene ødslige og tomme med klamme dyner og en utbrent ovn og helt sikkert kjøligere nå enn det var her ute, og jeg hadde ingenting i hytta å gjøre. Så jeg vassa i land og begynte å gå.

Først kom jeg opp mellom de ferske stubbene til den smale grusbelagte veien bak eiendommen vår og gikk ned langs den mellom trærne mot sør i stedet for mot nord dit vi pleide å gå, der brua og butikken lå, og det var ikke vanskelig å finne fram nå, for skyene var borte og natta var lys igjen som hvitt mel overalt, et filter jeg helt tydelig kunne se og kanskje kunne ta på om jeg ville, og så kunne jeg ikke det likevel. Men jeg prøvde. Jeg sprikte med fingrene mens jeg gikk mellom de mørke stammene lik en søylegang på hver side og lot hendene gli gjennom lufta, sakte opp og så ned igjen i det pudra lyset, men jeg kjente ingenting, og alt var som det vanligvis var, som hvilken natt som helst. Men livet hadde flytta vekta si fra ett punkt til et annet, fra ett bein til det andre som en taus kjempe i de store skyggene mot åsen, og jeg følte meg ikke som den personen jeg hadde vært da dette døgnet begynte, og jeg visste ikke engang om jeg var lei meg for det.

Jeg visste ikke det, og jeg var for ung til å se meg tilbake, så jeg fortsatte ned veien. Jeg hørte elva der nede bak skogen, og snart hørte jeg lyder fra setra som lå nærmest hytta vår mot sør. Det var kuer som sto i båsene inne bak tømmerveggene og drøvtygde eller lå i halmen og flytta seg fra ei side til den andre i skyggene, og de var plutselig helt stille, og så begynte de igjen, og den dempa klangen fra bjellene slapp ut til meg på veien, og jeg lurte på hvor langt på natta tida var kommet, om det kanskje var morgen snart, eller om jeg kunne gå ned stien til det fjøset og snike meg inn der og sitte ei stund for å kjenne om det var virkelig varmt før jeg gikk videre. Og det var det jeg gjorde. Det var bare å gå ned stien som kuene pleide å gå opp, forbi den lille stua der alt var helt stille og ingen sto i vinduene og kikka ut som jeg kunne se, og så åpne døra og trå inn i det halvmørke fjøset. Det lukta sterkt der inne, og samtidig godt, og det var like varmt som jeg hadde tenkt at det ville være. Jeg henta en mjølkekrakk i gangen mellom møkkarennene og satte meg på den inntil veggen ved døra jeg hadde stengt etter meg, og jeg lukka øynene og hørte pusten fra kuene gå rolig i hver bås og kjevene arbeide like så rolig og de klukkende bjellene og knirkinga i tømmeret og et sus fra natta over taket som ikke var vind, men var summen av alt det som natta ville fylle meg med. Og så sovna jeg.

Jeg våkna av at noen strøyk meg over kinnet. Jeg trudde det var mora mi. Jeg trudde jeg var liten gutt. Jeg har ei mor, tenkte jeg, det hadde jeg glemt. Og så kom jeg på hvordan hun så ut, trekk for trekk til hun nesten var ferdig satt sammen og var den jeg alltid hadde sett, men ansiktet jeg så opp i tilhørte ikke henne, og et øyeblikk seilte jeg mellom to verdener med et halvvåkent øye i hver, for det var budeia på denne setra som sto der, og da var klokka blitt fem på morgenen. Jeg hadde sett henne mange ganger og snakka med henne. Jeg likte henne. Stemmen hennes var som tonen fra ei sølvfløyte når hun gikk opp til veien og lokka på kuene, hadde faren min sagt og holdt hendene opp i munnhøyde og litt ut til sida og demonstrert med blafrende fingre og spiss munn. Jeg visste ikke hva slags tone som kom fra ei sølvfløyte, hadde aldri hørt den lyden som jeg visste om, men hun smilte og så ned på meg og sa:

– God morgen, pojken, og det hørtes jo ganske fint ut.

– Jeg sovna, sa jeg, – det var så godt og varmt her.

Jeg satte meg helt opp med ryggen rett og gnei ansiktet i hendene.

– Du trenger krakken, sa jeg.

Hun rista på hodet. – Nei, nei, bare sitt der du. Jeg har én til, det går så bra så. Og så gikk hun ned midtgangen med blanke bøtter i begge hender, fant én krakk til og satte seg på den ved den første kua og begynte å vaske det rosa juret med mjuke og vante bevegelser. Hun hadde allerede møkka ut og strødd hele veien med flis så det så reint og fint ut på golvet, og de sto alle sammen nå, på rekke; fire flekkete kuer på hver side fulle av forventning og mjølk. Hun dro den andre bøtta til seg og greip like mjukt rundt spenene, og det spruta hvitt og singlende mot metall, og det så så lett ut, men jeg hadde prøvd flere ganger og aldri fått ut en dråpe.

Jeg satt og så på henne med ryggen mot veggen i lyset fra lampa hun hadde hengt opp i en krok ved båsen; det knytta tørkleet rundt håret, det gule skjæret over ansiktet, det innadvendte blikket og det halve smilet, de nakne armene og de nakne knærne ut av skjørtene i et matt skinn på hver side av bøtta, og jeg kunne ikke hjelpe for det, men det stramma seg i buksa så plutselig og kraftig at jeg måtte hive etter pusten, og jeg hadde ikke engang tenkt på henne på den måten som jeg kunne huske. Jeg holdt meg fast i krakken med begge hender og kjente meg troløs mot den jeg var virkelig opptatt av og visste at om jeg bevegde meg så mye som en centimeter nå, så ville den lille friksjonen gjøre at alt gikk helt feil, og hun ville se det og kanskje høre det håpløse klynket jeg hadde i brystet som trengte på og ville ut, og da forsto hun hvor vergeløs jeg var, og det kunne jeg ikke bære. Så jeg måtte tenke på andre ting for å få presset til å løsne mot den stramme huden, og jeg tenkte på hester først som jeg hadde sett dem når de løp langs veien gjennom bygda, flere hester i flere farger med hamrende hover mot den knusktørre grusen, og støvet som virvla opp og ble hengende i den varme lufta som gule gardiner mellom husene og kirka, men det hjalp meg ikke mye, for det var noe med heten de hestene hadde og krumninga på halsen og den rytmiske pusten når de storma av gårde og alt det med hester som var vanskelig å forklare, men du *visste* var der, og da tenkte jeg på Bunnefjorden i stedet. Bunnefjorden hjemme og det aller første badet i den grågrønne sjøen uansett vær eller vind på dagen den første mai. Så kaldt det var i vannet da, og hvordan lufta ble slått ut av kroppen med et stønn når du hoppa fra svaberget ved Katten og traff den blanke flata, og bare én kunne hoppe av gangen, for den andre måtte stå på land med et reip og være livredder hvis den som var i sjøen fikk krampe. Jeg var bare sju år da vi bestemte at dét skulle vi gjøre hvert eneste år, søstera mi og jeg, og ikke fordi det var deilig, men fordi vi måtte ta en bestemmelse som krevde noe mer enn normalt av oss, som gjorde nok vondt, og akkurat da føltes dét vondt nok. Tre uker før var de tyske soldatene kommet til Oslo, og de marsjerte ned Karl Johan i en endeløs kolonne, og det var kaldt den dagen og stille langs gata, og bare det unisone smellet fra militærstøvlene, lik lyden fra en pisk, slo inn mellom søylene ved Universitetets aula, traff veggene der og fór ut igjen som ekko over den brolagte Universitetsplassen. Og så det plutselige drønnet av Messerschmitt jagerfly lavt over byen på vei inn fra fjorden, fra det åpne havet og fra Tyskland, og alle sto tause og så på, og faren min sa ingenting, og jeg sa ingenting, og det var ingen i hele rekka som sa noen ting. Jeg så opp på faren min, og han så ned på meg og rista sakte på hodet, og da rista jeg også på hodet. Han tok meg i hånda og leide meg ut av stimmelen på fortauet og ned gata forbi Stortinget mot Østbanestasjonen for å se om bussen langs Mosseveien gikk eller toget mot sør var i rute eller om kanskje alt sto stille den dagen unntatt de tyske troppene som plutselig var til stede overalt. Jeg kunne ikke huske hvordan vi kom oss *inn* til byen, om det var med tog eller buss eller vi satt på med en bil, men uansett kom vi oss hjem, og det kan godt hende at vi gikk.

Ikke lenge etter ble faren min borte for første gangen, og søstera mi og jeg begynte å bade i den kalde fjorden med hjertet i halsen og reipet parat.

Det var ikke fritt for at det kjølte meg ned å tenke på den våren 1940, på faren min som han var i *de* kalde dagene og det kalde vannet i Bunnefjorden, fra Katten til Ingierstrand, som var strendene vi brukte, og snart kunne jeg løsne grepet fra krakken i fjøset og reise meg uten at noe gikk på tok. Budeia hadde flytta seg til neste bås og satt og nynna for seg sjøl på den andre krakken med panna mot kumagen og tenkte ikke på annet enn den kua så vidt jeg kunne se, og da satte jeg krakken min pent inntil veggen og skulle snike meg ut døra og opp stien til veien igjen. Men så hørte jeg stemmen hennes bak meg:

– Skal du ha en sup? og jeg rødma og visste ikke hvorfor og snudde meg og sa:

– Ja visst, det hadde vært godt, enda jeg lenge hadde prøvd å unngå fersk mjølk. Det bøy meg imot bare å se den i glasset eller koppen og tenke på hvor varm og tjuktflytende den var, men jeg hadde sovet i fjøset hennes og tenkt på henne på en måte som hun ikke visste om og helt sikkert ikke ville likt, og jeg trudde ikke jeg kunne avslå. Jeg gikk bort og tok imot den breddfulle øsa hun rakte meg og svelga det hele i én slurk. Jeg tørka meg hardt rundt munnen og venta til alt garantert var nede, og så sa jeg:

– Takk. Men nå må jeg faktisk gå. Faren min venter med frokosten hjemme i hytta.

– Jøss, det var nå bråtidlig? Hun så på meg helt rolig som om hun forsto hvem jeg var og hva jeg holdt på med, noe jeg ikke var sikker på sjøl, og jeg nikka i overkant energisk og snudde på hælen og gikk bort mellom båsene og ut fjøsdøra og var nesten oppe ved veien før jeg måtte kaste opp rett ned på bakken foran meg. Jeg reiv løs noen never med lyng og dekka til det hvite sølet for at hun i fjøset ikke skulle se det med én gang hun var ferdig med mjølkinga og kom opp stien med kuene, og kanskje bli lei seg.

Jeg gikk langs veien så langt at den smalna til en sti som svingte ned mot elva gjennom det doggvåte, høye graset på ei slette og endte ved ei brygge som nesten var skjult i sivet her i ei bakevje på østsida. Jeg gikk ut på brygga og satte meg ytterst med beina dinglende over kanten og støvlene så vidt nedi vannet, og det var helt lyst nå med sola på vei opp bak åsen, og gjennom sivet så jeg over til den andre sida av elva der bruket lå hvor Jon bodde, eller kanskje *hadde* bodd, jeg visste ikke lenger. De hadde ei brygge de også, og ved brygga lå tre robåter; den Jon vanligvis brukte, og den jeg hadde sett mora hans komme i under hogsten. Den første var blåmalt og den andre var rød, og den tredje var grønn og pleide å ligge ved hytta vår hvis ikke en eller annen idiot hadde fortøyd den på feil bredde, og idioten var meg. Nå lå den her. Det var snekra en benk på den brygga, og på benken satt mora til Jon, og ved siden av henne satt faren min. De satt tett inntil hverandre. Han var nybarbert, og hun hadde den blå kjolen på med gule blomster som hun brukte når hun reiste til Innbygda. Over skuldrene hadde hun jakka hans, og armen hans hadde hun også rundt skulderen som hun hadde hatt *min* for mindre enn et døgn siden, men *han* gjorde noe som jeg ikke hadde gjort. Han kyssa henne, og jeg kunne se at hun gråt, men det var ikke fordi han kyssa henne hun gråt, og han kyssa henne uansett, og hun gråt uansett.

Det er mulig jeg mangla en viss type fantasi den gangen, og det er mulig jeg mangler den fortsatt, men det jeg så foregå på benken rett over på den andre sida av elva, kom så uventa på meg at jeg ble sittende og stirre med åpen munn, ikke kald, ikke varm, ikke lunken engang, men med hodet sprengfullt av tomhet, og hadde noen fått øye på meg da, ville de nok ha trudd jeg var rømt fra et hjem for utviklingshemma barn.

Jeg kunne kanskje tenkt at jeg tok feil, at jeg egentlig ikke så hva som foregikk godt nok fordi avstanden var for stor over til den andre bredden, og at det jeg ganske utydelig fikk med meg var en mann som trøsta en kvinne som nettopp hadde mista et barn og hadde sin egen mann på sjukehus flere mil vekk og følte seg aleine og hjelpeløs. Men det var vel ei merkelig tid på døgnet i så fall, og jeg speida ikke over Mississippi heller, eller Donau, eller Rhinen, eller vår egen Glomma for den saks skyld, men over denne ikke så veldig store elva som kom rennende i en halvsirkel over grensa fra Sverige og ned gjennom dalen og bygda her og tilbake i Sverige noen få mil lenger sør, så en altså kunne diskutere om vannet egentlig var mer svensk enn norsk, og om det kanskje smakte svensk hvis dét var mulig når du hadde litt av det i munnen. Og elva var ikke på sitt videste heller, der hvor jeg satt på brygga mi, og *de* satt på den motsatte sida.

Så jeg tok nok ikke feil. De kyssa hverandre som var det det siste de gjorde i livet, og jeg kunne ikke se på det, men jeg så på det likevel, og jeg prøvde å tenke på mora mi som en sønn sikkert burde gjøre når han plutselig kom over noe sånt som det her, men jeg greide ikke tenke på mora mi. Hun glapp bare unna og løste seg opp og hadde ikke noe med dette å gjøre, og så var jeg tom igjen og ble sittende og stirre til jeg kjente jeg ikke kunne sitte der mer. Jeg reiste meg sakte i ly av sivet og gikk veldig stille over treverket i brygga og ut på stien og opp den et stykke, og da jeg snudde meg og kikka tilbake, hadde de to også reist seg fra benken og gikk opp mot huset, hånd i hånd.

Jeg så meg ikke tilbake igjen, bare gikk over sletta gjennom det høye graset og rundt svingen til stedet der stien ble vei og videre opp forbi setra med fjøset jeg hadde vært inne i. Det virka lenge siden nå. Lyset var annerledes og lufta var en annen, og sola kom ned over åsen. Det var godt og varmt. Jeg hadde noe i halsen som kløedde og svei og gjorde vondt på en merkelig måte, og det ville visst opp, men hvis jeg svelga hardt, kunne jeg holde det nede. Jeg hørte kuene gå oppe i lia mot Furufjellet, som ikke var noe fjell, men et høydedrag bare med skog over toppen, og det var bjelleklang til høyre og til venstre og helt sikkert flere bølinger fra andre setrer på vei mot det saftigste graset. Da jeg kom fram til plassen der hogstfeltet var og stien gikk ned til hytta vår, ble jeg stående og lytte. Fordi trærne var borte, hadde jeg fri sikt mot elva, og jeg visste jeg ville høre en båt på vei opp. Men det var ingen lyder fra den kanten. Hytta så vennligere ut i dette lyset, og jeg kunne fint ha gått ned dit og inn på stua og tatt brødet opp av brødboksen og smurt meg ei skive, for jeg var sulten nå, men i stedet fortsatte jeg veien opp mot brua og butikken. Det tok tjue minutter. Rett før brua lå huset til Franz på en knaus noen meter fra elva. Fra veien kunne jeg se at døra hans sto åpen, og sola skinte inn i gangen. Det kom musikk fra en radio. Uten å tenke meg om gikk jeg ned grusgangen og helt fram til trappa, de tre trinnene opp og ropte inn døra:

– Hallo! Er det her det er frokost?

– Hallo ja! Visst faen er det det, kom svaret der innefra.

9

Hele natta blåser det hardt. Jeg våkner flere ganger og hører vinden pipe langs veggene og mer enn det; den tar tak i huset så det gamle tømmeret ynker seg, det kommer lyder fra alle kanter, høye susende, nesten truende lyder fra skogen der ute og metallisk skramling og et kraftig smell fra et sted jeg trur er ved uthuset, og det bekymrer meg litt der jeg ligger i mørket med åpne øyne og ser opp i himlinga, men det er varmt under dyna, og jeg har ingen planer om å stå opp nå. Og så tenker jeg på om taksteina vil holde seg der de skal, eller om de snart vil fly av taket og virvle over tunet og kanskje treffe bilen min og lage bulker. Jeg bestemmer at det vil de helt sikkert ikke og sovner igjen.

Neste gang jeg våkner blåser det om mulig enda hardere, men nå er det som et sug der vinden pløyes og deles av mønet på huset, ingen skramling, ingen banking, men mer som en dur i djupet av en båt nær stedet hvor maskinen er, for allting duver i mørket og beveger seg framover, og huset har master og lanterner og et brusende kjølvann og alt som skal til, og jeg liker det, jeg liker å reise med båt, og kanskje er jeg ikke så våken likevel.

*

Klokka er halv åtte når jeg slår øynene opp for siste gang. Det er seint til å være meg, altfor seint. I vinduet er det svak grålysning og merkelig stille på den andre sida av glasset. Jeg ligger uten å røre meg og lytter. Ikke en knirking fra verden der ute, bare Lyras tassende poter og klør på vei over kjøkkengolvet mot vannskåla. Universet har vært sprengfullt av lyder, og nå har det gått tomt. Bare en tålmodig hund er igjen. Hun drikker og svelger så jeg hører det godt, og så gir hun fra seg en lav og diskré pipelyd som forteller at hun gjerne vil ut for å gjøre det hun ikke kan gjøre inne. Om det ikke er til for mye bry.

Jeg kjenner at ryggen ikke er bra og ruller meg over på magen og skyver meg ut over kanten av senga med knærne først ned på golvet og derfra sakte opp i stående stilling. Det går fint, men jeg er veldig støl etter dagen i går. Jeg går barbeint ut på kjøkkenet og forbi hunden og videre ut i gangen.

– Kom, Lyra, sier jeg, og hun følger tassende etter. Jeg åpner ytterdøra og slipper henne ut i halvmørket. Så går jeg tilbake og kler på meg, åpner vedkassa der det heldigvis er nok av kubber, og fyrer opp i ovnen så systematisk jeg kan. Jeg lykkes aldri på første forsøk, noe faren min alltid gjorde, men hvis du ikke har dårlig tid, så brenner det jo til slutt. Søstera mi fikk det aldri til. Hun hadde tørr ved til rådighet, avispapir og en ovn med bra trekk, og det tok aldri fyr i annet enn papiret. Hvordan kan brann oppstå? Kan du fortelle meg det? sa hun. Jeg savner søstera mi. Hun døde også for tre år siden. Av kreft. Det var ikke noe de kunne gjøre, hun kom altfor seint til behandling. Hun og kona mi ble etter hvert gode venner. Om kvelden satt de ofte og snakka med hverandre i telefonen og kommenterte verdens gang. Noen ganger var det meg de kommenterte og lo seg skakke over gutten med gullbuksene, som de kalte meg. Du har alltid vært gutten med gullbuksene, det kan du ikke nekte for, sa de og lo. Det var søstera mi, trur jeg, som brukte det uttrykket først. Det var i orden for meg, det var aldri noen brodd i latteren, de hadde bare sans for humor og ville erte meg. Sjøl har jeg alltid vært litt mer alvorlig anlagt, men det kan bli for mye av det òg. Og de hadde vel rett, jeg har vært heldig. Jeg har sagt det før.

I løpet av én måned var begge døde, og etter at de ble borte har jeg egentlig ikke vært interessert i å snakke med så mange. Jeg veit ikke riktig hva jeg skulle snakke med noen om. Det er jo en av grunnene til at jeg bor her. En annen grunn er dette med skogen. Den var en del av livet mitt for mange år siden på en måte som ingenting seinere har vært det, og så ble den borte i lang, lang tid, og da det plutselig ble helt stille omkring meg, forsto jeg hvor mye jeg hadde savna den. Snart tenkte jeg ikke på annet, og hvis ikke *jeg* også skulle dø, akkurat der og da, var det til skogs jeg måtte. Sånn kjentes det, og så enkelt var det. Det er det fortsatt.

Jeg slår på radioen. Det er midt i P2s nyhetsmorgen. Russiske granater hagler over Grosny. De er i gang igjen nå. Men de kommer aldri til å vinne, ikke på lang sikt, det sier seg jo sjøl. Allerede Tolstoj forsto det i *Hadzji Murat,* og den boka ble skrevet for hundre år siden. Egentlig er det helt ufattelig at de store statene ikke får med seg den leksa, at det er de sjøl som til slutt vil gå i oppløsning. Men det er klart, hele Tsjetsjenia kan jo ødelegges. Det er litt mer mulig i dag enn for hundre år siden.

Det knaker fint i ovnen. Jeg åpner brødboksen og skjærer et par skiver, setter over vann til kaffe, og så hører jeg Lyra bjeffe et kort og spisst bjeff på trammen. Det er hennes måte å ringe dørklokka på og er lett å skille fra andre lyder hun lager. Jeg slipper henne inn igjen. Hun går og legger seg ved ovnen der varmen langsomt tar tak. Jeg dekker på til frokost for meg sjøl og gjør klart til Lyra i skåla, men hun må vente på tur. Det er jeg som er sjefen. Jeg spiser først.

Dagen kommer nå, der borte mot skogen. Jeg lener meg fram og kikker ut av vinduet og blir ikke lite paff av det jeg får se i morgenlyset. Tuntreet mitt, den store, gamle bjørka, har gått overende i den harde vinden og ligger uvirkelig diger mellom uthuset og bilen; de øverste greinene nesten helt framme ved kjøkkenvinduet, andre greiner over grinda på taket av bilen, og noen igjen har dratt med seg takrenna på uthuset og bøyd den til en diger V så den henger ned og sperrer for døra til vedskjulet. Det er godt jeg har fylt opp i kassa inne.

Det forklarer jo smellet fra i natt. Jeg reiser meg automatisk og skal til å gå ut, men det er det jo ingen vits i ennå. Den bjørka drar ingen steder. Så jeg setter meg ned igjen og fortsetter måltidet og ser ut av vinduet mens jeg prøver å tenke ut en plan for hvordan jeg skal greie å fjerne den kjempen som har lagt seg til hvile på tunet mitt. Først må jeg få bilen fri, det er klart, og så flytte på den. Greinene først, de foran vedskjulet også, for å se om det er mulig å komme inn der. Ved må jeg ha, og bil må jeg kjøre. Det er det viktigste. Jeg må file opp kjedet i motorsaga igjen, det er jeg nødt til, så lenge som jeg holdt på i går, og kanskje trenger jeg mer bensin og olje, jeg må sjekke det, for jeg husker plutselig ikke, og i så fall må jeg kjøre etter mer, men bilen sitter antakelig fast. Jeg kjenner jeg får litt panikk og forstår ikke hvorfor. Dette er ikke krise. Jeg er her frivillig. Jeg har mat nok i kjøleskapet og vann i springen, jeg kan gå så langt jeg vil, jeg er sprek, og jeg har all tid i verden. Eller har jeg det? Det føles ikke sånn. Det føles ikke sånn i det hele tatt. Det føles plutselig trangt. Jeg kan dø når som helst, det er det som er saken, men det har jeg visst i hvert fall i tre år, og jeg har strengt tatt gitt faen og gjør det ennå. Jeg ser ut på bjørka. Den fyller omtrent hele tunet og er så stor at den skygger for alt. Jeg reiser meg fort fra bordet og går inn i kammerset og legger meg på senga med klærne på, noe som er tvert imot de reglene jeg prøver å overholde, og jeg stirrer opp i taket, og det kverner i hodet mitt som hjulet i en rulett, og kula hopper fra rødt til svart til rødt igjen og legger seg til slutt i ei skål, og det er sjølsagt skåla for sommeren 1948, eller nærmere bestemt den dagen den sommeren var over. Jeg sto under eika foran butikken og kikka opp og så lyset svirre i skiftende stråler gjennom det brusende bladverket etter som vinden kom og vinden la seg igjen, og det blenda meg i små glimt og fikk meg til å blunke sårt og tårene til å renne, og jeg lukka øynene og kjente rød varme mot øyenlokkene og hørte elva bak meg som jeg hadde hørt den hver eneste dag i nesten to måneder, og jeg tenkte på hvordan det ville bli nå, når jeg ikke skulle høre den mer.

Det var varmt under eika. Jeg kjente meg trøtt. Vi hadde stått opp tidlig den morgenen og spist frokost nesten uten å si noen ting, og så gått fra seterhytta opp grusveien mot brua og forbi huset til Franz der sola skinte inn gjennom den åpne døra, i ei lys stripe over fillerya og skrått opp langs den ene veggen, men han sjøl var ikke å se noe sted, og jeg ble lei meg for det.

Bussen sto i sola og rista med dieselmotoren i gang. Jeg skulle hjem fra bygda den lange veien til Oslo med skifte til tog i Elverum. Faren min sto rett bak meg på plassen foran butikken med hånda på hodet mitt, og han ruska meg lett i håret og bøyde seg fram og sa:

– Dette går bra. Du veit hvor du skal av ved stasjonen på Elverum, og på hvilken side toget går, og *når* det går, og sånn holdt han på med enda flere detaljer, og alt det der sa han som om det betydde noe som helst, som om ikke jeg kunne greie den reisa aleine med mine femten år uten instruksjoner. Jeg følte meg i virkeligheten mye eldre, men jeg hadde ingen måter å vise det på som jeg visste om, og hadde jeg visst det, var nok ikke det noe han var i stand til å akseptere.

– Det har vært litt av en sommer, sa han, – det kan vi fort bli enige om. Han sto fortsatt bak meg med hånda i håret mitt, men han ruska det ikke lenger, holdt bare et kraftig tak som nesten gjorde vondt, og jeg trur ikke han forsto det, og jeg sa ingenting for å få han til å slippe. Han bøyde seg fram igjen og sa:

– Men sånn er livet. Det er det du lærer av, når ting skjer. Særlig i din alder. Du må bare ta det til deg og huske å tenke etterpå og ikke glemme og aldri bli bitter. Du har lov til å tenke. Skjønner du?

– Ja, sa jeg høyt.

– Skjønner du? sa han, og jeg sa ja igjen og nikka med hodet, og da forsto han hvor hardt han holdt i håret mitt og slapp det med en liten latter jeg ikke greide tolke, for jeg så jo ikke ansiktet hans. Og jeg hørte hva han sa, men jeg visste ikke om jeg forsto. Hvordan kunne jeg det? Og jeg forsto ikke hvorfor det var nettopp *de* orda han brukte, men jeg har tenkt på det tusen ganger siden, for rett etter snurra han meg rundt med et grep rundt skulderen min og dro meg gjennom håret enda en gang mens han så meg nesten mysende i øynene med det halvsmilet om munnen jeg likte så godt. Han sa:

– Nå drar du inn med denne bussen og bytter til tog på Elverum og reiser hjem til Oslo, og så gjør jeg meg ferdig her, og når dét er gjort, så kommer jeg etter. Er det greit?

– Ja, sa jeg. – Det er greit. Og jeg kjente en isnende følelse nederst i magen, for det *var* ikke greit. Jeg hadde hørt de orda før, og det store spørsmålet jeg stilte meg igjen og igjen i tida som fulgte, er om ting skjedde som han ikke var herre over, eller om han allerede da visste at han aldri ville komme etter. At det var siste gang vi så hverandre.

Sjølsagt gikk jeg ombord i bussen, og jeg satte meg i setet med sekken min på fanget og snudde meg og stirra gjennom bussvinduet ut på butikken og brua over elva og på faren min som sto der høy og svarthåra mager i de blafrende skyggene under eika og på himmelen som aldri hadde vært videre eller djupere blå enn sommeren 1948 over nettopp denne bygda, og så begynte bussen å rulle i en stor halvsirkel ut på veien. Jeg pressa nesa mot ruta og glante inn i støvskyen som sakte steig på utsida og skjulte faren min i en virvel av grått og brunt, og jeg gjorde alt det man *skal* gjøre i en sånn situasjon, i en sånn scene; jeg reiste meg fort og løp ned midtgangen mellom seteparene til benken bakerst og hoppa oppi den med knærne først og la hendene mot ruta og stirra ut på veien helt til butikken og eika og faren min var borte bak en sving, og alt det som var jeg nøye instruert i den filmen vi alle har sett, der den skjebnesvangre avskjeden står sentralt og hovedpersonenes liv for bestandig blir forandra og skyter ut i nye og uventa retninger som ikke alltid er så hyggelige, og alle som sitter i kinosalen er fullstendig klar over hvordan det vil gå. Og noen holder seg for munnen, og noen sitter og tygger på lommetørklene sine mens tårene triller, og noen forsøker forgjeves å svelge en klump de har i halsen mens de myser mot lerretet som løser seg opp i en vase av farger, og andre igjen er så fly forbanna at de nesten reiser seg og forlater lokalet fordi de har vært med på noe liknende i sine liv som de aldri har tilgitt, og en av *dem* spretter opp fra setet sitt i mørket og roper:

– Din jævla kødd! mot mannen under eika som nå blir vist mot bakhodet hans, og han gjør det på vegne av seg sjøl og på vegne av meg, og jeg takker for støtten. Men poenget mitt er jo at *jeg* ikke visste hvordan det ville gå den dagen. Ingen hadde fortalt meg det! Og jeg hadde ingen forutsetninger for å vite hva den scenen inneholdt som jeg nettopp hadde vært igjennom. Jeg fløy bare fram og tilbake mellom setet mitt og vinduet bak med en plutselig, retningsløs uro i kroppen, og jeg satte meg og reiste meg igjen og gikk opp og ned midtgangen og satte meg et helt annet sted og reiste meg fra det setet òg, og sånn holdt jeg på så lenge jeg var den eneste i bussen. Jeg så øynene til sjåføren følge meg i speilet der framme mens han samtidig skulle manøvrere på den svingete grusveien, og han var tydelig frustrert, men kunne ikke la være å stirre, og han sa ingenting. Og så kom det to familier på ved en holdeplass halvveis til Innbygda, der elva tok en sving og ble borte i skogen mot Sverige, og de hadde unger og hunder og sekker på slep, og én dame hadde ei høne i et bur, og den kakla og kakla, og da tvang jeg meg sjøl til å sitte stille på plassen min og sovna til slutt med det vibrerende vindusglasset hakkende mot hodet og duren av dieselmotoren syngende i øra.

Jeg slår øynene opp. Hodet føles tungt mot puta. Jeg har sovet. Jeg løfter hånda og ser på klokka. En halv time bare, men det er uvanlig. Jeg har jo nettopp stått opp, til og med for seint. Var jeg *så* sliten?

Det er helt lyst i vinduskarmen. Jeg setter meg fort opp mens jeg samtidig svinger beina ut over kanten på senga, og da blir jeg så plutselig svimmel at jeg seiler videre framover og greier ikke stoppe, det gnistrer bak øynene, og jeg faller på golvet med den ene skulderen først. Jeg hører meg sjøl stønne høyt og merkelig fremmed idet jeg treffer. Og så ligger jeg der. Vondt gjør det òg. Det var som faen. Jeg puster forsiktig uten å spenne meg. Det er ikke lett. Det er for tidlig for meg å dø. Jeg er bare sjuogseksti år, jeg er sprek. Tre ganger om dagen går jeg tur med Lyra, jeg spiser sunt, og jeg har ikke røyka på tjue år. Det burde holde. Jeg vil i hvert fall ikke dø på denne måten, liggende sånn. Jeg skulle nok ha gjort en bevegelse nå, men jeg tør ikke, for jeg får det kanskje ikke til, og hva skal jeg gjøre da? Jeg har ikke telefon engang. Jeg har utsatt den avgjørelsen, vil ikke være tilgjengelig. Men det er klart, da er jo ikke andre tilgjengelige for meg heller, det sier seg sjøl. Særlig akkurat nå.

Jeg lukker øynene og ligger helt stille. Golvet er kaldt mot kinnet. Det lukter støv. Jeg hører Lyra puste ved ovnen på kjøkkenet. Vi skulle vært ute en tur for lengst, men hun er tålmodig og maser ikke. Jeg kjenner jeg er litt kvalm. Det er kanskje et symptom som skal fortelle meg noe. Det forteller meg ingenting. Jeg er bare kvalm. Så blir jeg irritert og kniper øynene hardt sammen og fester blikket innover og ruller rundt til knærne er under meg og støtter hånda mot dørkarmen og reiser meg forsiktig opp. Knærne skjelver, men det går. Jeg holder øynene klemt sammen til all mulig svimmelhet er borte, og så åpner jeg dem og ser rett ned på Lyra som står foran meg på kjøkkengolvet med de kloke øynene i et skrått, oppmerksomt blikk mot mitt.

– Good dog, sier jeg uten å skjemmes. – Nå skal vi gå.

Og så gjør vi det. Jeg går ut i gangen litt skjelven i beina og drar på meg jakka og knepper den uten for mye vanskeligheter og går ut på trammen med Lyra i hælene og får støvlene på. Og jeg lytter intenst til min egen kropp for å kjenne om noe har gått på tok i det finstilte maskineriet sjøl en gammal kropp er, men det er ikke lett å være sikker. Bortsett fra kvalmen og en øm skulder, virker alt normalt. Kanskje en letthet i hodet litt større enn vanlig, men det er vel ikke så rart når jeg er oppe og stå etter å ha vært nede for telling.

Jeg prøver å la være å se på bjørka, og det er vanskelig, for det er ikke mange andre steder å feste blikket samme hvilken vei jeg snur meg, men jeg myser med øynene og går tett inntil husveggen rundt de lengste greinene og må bøye vekk én, og så enda én, og slipper ut i oppkjørselen, og med ryggen mot tunet tar jeg fatt på bakken ned mot elva og hytta til Lars med Lyra dansende gul foran meg på veien. Jeg svinger inn på stien ved brua og går langs strømmen til jeg stopper og blir stående ved elvebredden nesten helt ute ved munninga. November, og jeg kan se benken der jeg satt i går kveld i det blåsende mørket og to bleike svaner på det grå vannet i vika og de nakne trærne mot en bleik morgensol og den mattgrønne granskogen på den andre sida av sjøen i en melkeaktig dis mot sør. En helt uvanlig stillhet, som søndag morgen da jeg var liten, eller langfredag. Et knips med fingrene som et børseskudd. Men jeg hører Lyra puste bak meg, og den blonde sola skjærer i øynene, og jeg kan plutselig ikke holde kvalmen nede og blir stående framoverbøyd på stien og kaste opp ned i det visne graset. Jeg lukker øynene, jeg er svimmel, jeg er faen ikke frisk. Jeg åpner øynene igjen. Lyra står og ser på meg, og så kommer hun snusende bort til det jeg har sluppet fra meg.

– Nei, sier jeg, og det skarpt til å være meg, – ligg unna, og hun tverrsnur og løper videre på stien, og hun stopper og ser tilbake med tunga hengende ivrig fra munnen.

– Jada, mumler jeg, – jada. Vi skal fortsette.

Jeg begynner å gå igjen. Kvalmen har gitt seg noe, og hvis jeg tar det med ro, skal jeg nok greie å komme sjøen rundt. Eller gjør jeg det? Jeg blir usikker. Jeg tørker meg rundt munnen med et lommetørkle og tørker svetten av panna og går helt fram til sivkanten og dumper ned på benken. Så sitter jeg her igjen. En svane kommer inn for landing. Snart er det is på sjøen.

Jeg lukker øynene. Plutselig kommer jeg på en drøm jeg hadde i natt. Det er rart, den var ikke der da jeg våkna, men nå er den helt klar. Jeg var i et soverom med den første kona mi, det var ikke vårt soverom, vi var langt under førti, det er jeg sikker på, kroppen min kjentes sånn. Vi hadde nettopp ligget med hverandre, jeg hadde gjort så godt jeg kunne, og det pleide å være mer enn godt nok, i hvert fall trudde jeg det. Hun lå i senga, og jeg sto ved kommoden der jeg så hele meg unntatt hodet mitt i speilet, og jeg så bra ut i drømmen, bedre enn i virkeligheten. Hun slo dyna til side og var naken under, og hun så også bra ut, virkelig flott, nesten fremmed egentlig, og ikke helt som den jeg nettopp hadde vært sammen med. Hun så på meg med blikket jeg alltid hadde frykta og sa:

– Du er jo bare én av mange. Hun satte seg opp og var naken og tung på den måten jeg kjente, og hun fylte meg med lede til langt opp i halsen og samtidig med skrekk, og jeg ropte:

– Ikke i *mitt* liv, og så begynte jeg å gråte, for jeg hadde visst at denne dagen en gang ville komme, og

jeg forsto at det jeg var mest redd for i verden var å
være han på Magrittes maleri som ser seg sjøl i speilet
og ser rett inn i sin egen nakke, igjen og igjen.

II

10

Franz og jeg satt på kjøkkenet i det lille huset hans på knausen ved elva. Sola skinte helt hvitt inn gjennom vinduet og ned på bordet der vi hadde hver vår hvite asjett og hvite kopp med kaffen brun og gyllen fra den blankpussa kjelen som sto på ovnen han alltid fyrte i, både sommer og vinter, sa han, men om sommeren med vinduene åpne. Kjøkkenet var malt i den blåfargen som var vanlig her ute, for den holdt fluene vekk, var det mange som trudde, og det var kanskje riktig, og alle møblene hadde han snekra sjøl. Jeg likte meg godt i det rommet. Jeg tok mugga og helte litt melk i koppen. Det gjorde kaffen mattere og likere lyset og ikke så sterk, og jeg myste og så ut over vannet som duva forbi rett nedafor vinduet. Det skinte og blinka som tusenvis av stjerner, som Melkeveien kanskje en gang ut på høsten når den fosser skummende fram og snor seg gjennom natta i en strøm uten slutt, og du kunne ligge der ute ved fjorden i det store mørket med svaberget hardt imot ryggen og stirre opp til øynene verka og kjenne tyngden av verdensrommet i all sin bredde presse mot brystet til du knapt kunne puste eller omvendt løftes opp og bare bli borte som et fnugg av menneskekjøtt i et endeløst vakuum og aldri komme tilbake. Bare å *tenke* på det var å bli litt borte.

Jeg snudde meg og så den røde stjerna som Franz hadde på underarmen. Den gløda i sola og bølga som stjerna i midten av et flagg hver gang han bevegde fingrene eller knytta neven. Det gjorde han ofte. Antakelig var han kommunist. Mange skogsarbeidere var det, og med god grunn, hadde faren min sagt.

Det Franz fortalte meg var dette.

Det var i 1942. Faren min kom gjennom skogen fra nord på leiting etter et sted hvor han kunne ligge i dekning med kort vei til grensa når han skulle over til Sverige med papirer og brev og noen ganger filmer for motstandsbevegelsen, og seinere vende tilbake til når oppdraget var utført og sporene sletta, et sted han kunne bruke flere ganger. Han hadde ikke hastverk. Han var ikke på rømmen da, eller han oppførte seg ikke sånn. Han prøvde langt fra å skjule seg og var åpen og vennlig mot alle han møtte. Det han trengte var et sted hvor han kunne tenke, sa han, og av en eller annen grunn var det ingen som tvilte på den forklaringa. Han kom *innafra*. Har du vært *innafor*? sa de, når noen kom hjem og en sjelden gang hadde vært i hovedstaden. Der var folk annerledes. Det var noe alle visste. Så det var greit. Han ville ha et sted hvor han kunne tenke. Andre tenkte der de gikk og sto. Ingenting å diskutere.

Bare Franz hadde rede på hva han egentlig skulle bruke stedet til. De to visste om hverandre fra før, men de hadde ikke møttes inntil dagen faren min steig opp på trammen hans og banka på døra og sa de orda som var avtalt på forhånd:

– Blir du med? Vi skal ut og stjæle hester.

Jeg snudde meg fra vinduet og stirra på Franz og sa:
– Hva *sa* han, sa du?
– Han sa: Vi skal ut og stjæle hester. Jeg veit ikke hvem som fant på det. Faren din sjøl kanskje. Det var i hvert fall ikke jeg. Men jeg visste hva han skulle si. Jeg hadde fått beskjed med bussen fra Innbygda.
– Å, sa jeg.
– Jeg likte han med én gang, det gjorde jeg, sa Franz.

Og hvem gjorde ikke det. Menn likte faren min, og kvinner likte faren min, jeg visste ikke om noen som ikke likte han, unntatt kanskje faren til Jon, men dét handla om noe annet, og jeg forestilte meg at de ikke hadde det minste imot hverandre, egentlig, og lett kunne vært venner under andre omstendigheter. Og det merkelige er, at det ikke var som jeg har sett det så mange ganger seinere i livet, at den som er så godt likt av mange, ofte er litt konturløs og mjuk og går av veien for ikke å provosere. Faren min var ikke sånn i det hele tatt, riktignok smilte han og lo mye, men det gjorde han fordi det falt han naturlig og ikke for å tilfredsstille noen sine behov for harmoni omkring seg. Ikke mitt i hvert fall, og *jeg* likte han veldig godt, sjøl om han noen ganger kunne gjøre meg sjenert, og det var nok mest fordi jeg ikke kjente han som en gutt burde kjenne faren sin. I åra som lå bak oss hadde han vært mye borte, og da tyskerne sto i landet, gikk det ofte måneder hvor jeg ikke fikk se han, og når han endelig kom hjem og ei stund gikk omkring i gatene som en vanlig mann, var han annerledes på en måte det var vanskelig for meg å sette fingeren på. Men han forandra seg litt for hver gang, og jeg måtte konsentrere meg hardt for å holde han fast.

Likevel var jeg aldri i tvil om at jeg hadde en helt spesiell plass i hjertet hans sammen med søstera mi, og kanskje større enn henne fordi jeg var gutt og han var mann, og det falt meg aldri inn noe annet enn at han tenkte på meg både ofte og lenge når han ikke var der hvor jeg var. Som da han kom til denne bygda i 1942, og jeg var hjemme i huset vi bodde i ved fjorden i Oslo og gikk på skole hver dag og satt og drømte om reiser vi skulle legge ut på sammen bare tyskerne var slått og borte for alltid, mens han altså var på jakt etter et sted hvor han kunne tenke, som han sa, og bruke som skjulested og base for turene sine over til Sverige med papirer og noen ganger filmer for motstandsbevegelsen.

Det var Franz sjøl som viste faren min setra som var blitt til overs etter en tvangsauksjon før krigen og nå sto tom på fjerde året. Barkald hadde slått til og kjøpt bruket den gangen, til spottpris sjølsagt, så det var han som egentlig eide setra. Den hadde han ingen nytte av. Han lot den forfalle, fjøset hadde ramla ned allerede, men det fantes uansett ingen bøling å fylle det med, og faren min likte stedet med én gang. Særlig fordi det lå ved østbredden av elva med tjue minutters gange til nærmeste bru, og fordi det ikke fantes annen bebyggelse bak setrene, ikke ei koie engang, før langt inne på svenskesida av grensa. Men ikke bare det. Franz mente faren min likte å være der. Likte å gjøre de tingene som var nødvendige å gjøre for at alt skulle virke tilforlatelig og som likevel måtte gjøres; slå graset, rydde vekk restene av fjøset og brenne det opp, stable takstein, renske i krattet langs elvebredden, reparere tak og bytte vindskier på huset, sette inn nytt glass for det knuste gamle i vinduene. Han kitta ovnen. Han feide pipa. Han snekra to nye stoler. Alt sammen ting han hadde lett for, men ikke hadde tid til eller frihet til å gjøre i Oslo der vi leide tre rom og kjøkken i annen etasje i en stor treetasjes sveitservilla i Nielsenbakken ved Ljan stasjon med utsikt til indre Oslofjord og Bunnefjorden.

Det var ikke meninga han skulle være der så lenge av gangen, bare nok til at folk ble vant til å se han på den andre sida av elva hvor han klatra over taket eller romsterte på tunet eller satt på en av steinene ved bredden og tenkte, som han sa, for han måtte ha vann i nærheten når han gjorde det. Det var jo også litt merkelig, men ingenting å diskutere det heller, og de kunne se han når han gikk over enga til Barkald med den slunkne sekken over skulderen på vei til butikken rundt tida da bussen fra Innbygda og Elverum kom, eller de så han på vei hjem igjen med varer og annet. Men hver gang han hadde vært i Sverige og kom tilbake over grensa i ly av natta og hadde levert det han skulle levere til den som skulle ha det, fant han ut at det var flere enn én ting han måtte få orden på eller utbedre før han dro inn til Oslo igjen. Dermed ble det til at han holdt på litt lenger og slo graset enda en gang eller murte pipa over tak før han reiste, for den hadde sprukket fra topp til bånn og ville kanskje rase sammen og teglsteinene falle og treffe noen i hodet, og på den måten bygde han seg opp i løpet av et par år et alternativt liv som vi som var familien hans i Oslo, ikke visste om. Ikke at jeg tenkte på det på den måten da

Franz og jeg satt på kjøkkenet hans, og han fortalte om faren min som drøye fem år før hadde etablert seg på den forfalne setra til Barkald for å skaffe seg et skalke- skjul for det siste leddet i en av kurérlinjene til Sverige i det andre året av krigen i Norge, og begynte det de kalte «trafikken». Det var først mange år seinere jeg forsto at det var sånn det må ha blitt for han. Han var like mye i bygda ved elva som han var hjemme hos oss ved Bunnefjorden. Men det visste ikke vi og skulle ikke vite det heller; at det var snakk om bare ett sted og *hvor* det stedet var. Vi visste aldri hvor han var. Han ble borte, og så kom han hjem igjen. Ei uke etter, eller en måned, og vi vente oss til å leve han foruten, fra dag til dag, fra uke til uke. Men jeg tenkte på han hele tida.

Alt det Franz fortalte, var nytt for meg da, men jeg hadde ingen grunn til å tvile på noe av det han sa. Hvorfor *han* skulle fortelle meg om den tida, når faren min ikke hadde gjort det, var et spørsmål jeg satt og grubla over mens han snakka, men jeg visste ikke om jeg kunne stille han det og få et svar jeg kunne leve med, for han trudde sikkert jeg kjente til alt sammen allerede og bare hadde moro av å høre en annen versjon. Jeg lurte også på hvorfor ikke kamera- ten min Jon eller mora hans eller faren hans eller mannen på butikken jeg snakka med så ofte eller Bar- kald eller hvem faen som helst hadde nevnt for meg det, at faren min bare fire år før hadde vært så ofte i denne bygda, sjøl om det var på den andre sida av elva der setrene lå, at han nesten kunne regnes som fastboende. Men det spurte jeg ikke om.

*

Det var en tysk patrulje der som var fast stasjonert på den av gårdene som lå nærmest kirka og butikken. De hadde bare tatt over våningshuset og jagd hele familien ut i kårstua hvor det var trangt om plassen fra før, og ofte, men ikke alltid, sto en vaktpost på grusen foran brua over elva. Han hadde en maskinpistol i reim over skulderen og en sigarett i munnen når ingen av hans egne så på. Noen ganger satte han seg helt ned på en stein med maskinpistolen liggende på bakken foran seg og tok hjelmen av hodet og klødde seg hardt i det flatklemte håret både lenge og vel mens han røyka og stirra ned mellom knærne og de blankpussa støvlene til sigaretten var brent helt inn til fingrene, og det var så vidt han orka reise seg igjen. Bak han bruste elva ned det lille stryket og forandra aldri tonen, ikke som han kunne høre, og de kjeda seg her, det skjedde ingenting, krigen var andre steder. Men det var bedre enn Østfronten.

Når faren min valgte å ta den svingen; over brua, forbi huset til Franz og ned den smale grusveien på østsida av elva, stoppa han først og snakka med den tyske vaktposten, for han var ganske god i tysk, mange *var* det den gangen, det var et språk du måtte lære på skolen enten du ville eller ikke til langt utpå syttitallet. Vaktposten var ikke den samme hver gang, men de var såpass like hverandre at det var få som så forskjell, og ikke var mange så interesserte heller og prøvde i stedet å late som de ikke eksisterte, og den tysken folk hadde lært var plutselig glemt. Men faren min visste snart hvor hver av dem kom fra, om de hadde koner i Tyskland, om de likte fotball best eller friidrett eller svømming kanskje, om de lengta etter mora si. De var ti, femten år yngre enn han og noen ganger mer, og han snakka med dem i en omsorgsfull tone, det var det ikke mange andre som gjorde. Franz kunne se fra vinduet hvordan faren min sto foran mannen i den grågrønne uniformen, eller gutten nesten, og de bøy hverandre en røyk, og den ene tente for den andre alt etter som hvem som spanderte og holdt fyrstikken i hul hånd sjøl om det ikke blåste, og de bøyde seg fram med kroppene i en fortrolig bue over den lille flammen, og var det kveld fikk de gullskjær i ansiktene og ble stående på grusen i den stille lufta og snakke og røyke til sigarettene var stumper og slokte på bakken under hver sin støvel, og så løfta faren min hånda og sa «gute Nacht» og fikk et takknemlig «gute Nacht» tilbake. Han gikk over brua mens han smilte for seg sjøl og fortsatte ned veien mot setra med den gråslitte sekken på ryggen og det som var oppi den sekken. Og han visste at om han plutselig gjorde noe uventa, som å snu seg brått eller begynne å løpe, ville den hyggelige, tyske gutten helt sikkert få maskinpistolen lynfort av skulderen og rope: «Halt!», og hvis han ikke stoppa da, ville han få en salve av kuler etter seg og kanskje bli drept.

Andre ganger gikk han langs hovedveien med litt fullere sekk og svingte over engene langs gjerdet til Barkald og rodde over elva. Han vinka til dem han så, enten de var tyske eller norske, og det var ingen som stoppa han. De visste hvem han var; han var mannen som satte i stand setra for Barkald, og de hadde spurt Barkald og fått oppdraget bekrefta, og de hadde vært der ute tre ganger på setra og funnet mye verktøy og to bøker av Hamsun; *Pan* og *Sult*, som de fint kunne akseptere, men de fant aldri noe mistenkelig. Han var mannen som med jamne mellomrom tok bussen ut av bygda og ble borte ei god stund, for han hadde flere prosjekter av samme typen, og grenseboerbeviset og de andre papirene hans var det ingenting i veien med.

I to år holdt faren min linja gående, både sommer og vinter, og når *han* ikke var på setra, gikk en fra bygda om nødvendig den siste distansen over grensa; Franz noen ganger, og mora til Jon når hun kunne slippe fra, men det var langt fra ufarlig, for alle på stedet kjente jo hverandre og hverandres rutiner, og det som stakk seg ut, ble lagt merke til og notert for seinere bruk i loggboka vi fører over hverandres liv. Men så kom han tilbake, og de som ikke skulle vite om trafikken, var fortsatt uvitende. *Jeg*, blant annet, og mora mi og søstera mi. Noen ganger henta han «posten» sjøl rett fra bussen eller via butikken både før og etter stengetid, andre ganger var det mora til Jon som henta den og tok den med når hun rodde opp elva med mat som hun ofte gjorde på oppdrag fra Barkald, for håndverkeren måtte jo holdes i kosten, eller sånn skulle det se ut, som om han ikke kunne håndtere en komfyr på egen hånd, men måtte ha en kvinne til hjelp. Det var vel litt merkelig, syntes jeg, at han skulle ha hjelp til det, når han ellers kunne få til det meste. I virkeligheten var han like god som mora mi til å lage mat, om det var det som trengtes, det visste jo jeg, for jeg hadde sett det og smakt det ved flere anledninger, han var kanskje bare litt latere med den slags, så når han og jeg var aleine, spiste vi det vi kalte «enkel husmannskost». Speilegg, som regel. Det var ikke meg imot. Med mora mi på kjøkkenet ble det hva hun kalte «fullverdige måltider», i hvert fall når vi hadde penger. Det var ikke alltid.

Men mora til Jon rodde opp elva både én og to ganger i uka, med mat eller uten mat, med «post» eller uten «post», for å være ei slags kokke for faren min sånn at han kunne sette til livs noen fullverdige måltider og ikke bli sjuk og slapp av den ensidige kosten menn som bor aleine for det meste sverger til og dermed ikke få gjort den jobben han var satt til. Det var i hvert fall det Barkald fortalte når han var på butikken.

Faren til Jon deltok ikke. Han var ikke imot, det hadde han aldri sagt så noen hadde hørt det, ikke Franz i hvert fall, men han ville ikke ha noe med «trafikken» å gjøre. Hver gang noe skulle skje, så han en annen vei, og han så en annen vei når kona hans gikk til elva med kurven i hånda og satte seg i den rødmalte båten for å ro opp til faren min. Han så til og med en annen vei da en ukjent mann med armene rundt en hardt sammensurra koffert og byhatt på hodet helt stille ble leid inn på hans egen låve i skumringa og satt der aleine på et kjerrehjul, døgnvill og stum i de malplasserte klærne sine og venta på at mørket skulle legge seg. Og da den samme mannen ble med båten opp elva om natta, alt helt lydløst over tunet først og ned til brygga der ikke et ord ble sagt, ikke et lys ble tent, så kommenterte han ikke det heller, hverken da eller seinere, og det sjøl om mannen var den første av flere, for nå var det ikke lenger bare post aleine som tok veien om bygda over grensa til Sverige.

Og det var seinhøst og snø, men ikke is på vannene

noe sted, og på elva kunne en fortsatt ro. Og det var bra, for tidlig en morgen før hanan datt av pinnen, som Franz formulerte det, ble en mann i dress sluppet av på hovedveien i mørket og gikk med sekken sin på ryggen gjennom snøen opp gårdsveien og helt inn på tunet til Jon og familien hans. Mannen hadde sommersko med tynne såler og frøys helt fritt og uhemma i de vide buksene, og beina hans skalv så kraftig at buksebeina rulla og bølga fra hoftene ned til de lette skoa da mora til Jon kom ut på trammen med et sjal rundt skuldrene og et pledd under armen. Det var et merkelig syn, fortalte hun til Franz da hun kom hjem fra Sverige i mai førtifem, som et sirkusnummer nesten. Hun ga han pleddet og viste han bort til låven der han måtte holde seg i høyet alle timene igjennom den hvite dagen til kvelden kom, i tolv timer ca, for lyset forsvant omkring klokka fem, og fem hadde den vært da han kom gående opp veien. Men mannen greide det ikke. Han tørna der inne, sa mora til Jon, i totida klappa han sammen og gikk berserk. Han begynte å rope de merkeligste ting, tok et jernrør og dunka og slo omkring seg så flisene føyk av bæringa til taket, og flere av spilene i høyvogna som sto der brakk tvert av. Det var lett å høre han fra utsida på tunet, og kanskje de hørte han opp langs elva, for lufta var stille og bar ropene godt over vannet, eller de hørte han helt nede på veien der tyskerne kjørte forbi i hvert fall to, tre ganger om dagen og prøvde å være så årvåkne de kunne. Og så ble dyra urolige i fjøset ved sida av. Bramina vrinska og spente i boksen og kuene rauta på båsene som var det våren snart og de ville på beite, og noe måtte gjøres litt faderlig fort.

Han måtte ut av den låven. Han måtte sendes opp elva med en eneste gang. Men det var lyst ute og lett å se langt med nakne trær og snø på bakken som fikk alt til å synes i tydelig silhuett, og langs det første strekket så du elva fra veien. Han måtte opp uansett. Jon var ikke kommet fra skolen ennå og tvillingene lekte på kjøkkenet. Hun hørte hvordan de lo og rulla rundt på golvet og sloss på skøy som de alltid gjorde. Hun dro stille på seg varme klær, lue og votter, og gikk ned trappa og over tunet mot låven mens mannen hennes våkna på divanen og reiste seg, og det er temmelig sikkert at jeg overtrekker kontoen her og ikke kan vite noe om dette, men jeg er likevel overbevist om at en fremmed skapning lik et spøkelse var kommet inn i stua som halte han opp og dytta han ut i gangen der den nakne pæra hang som aldri ble slokt og skulle lyse i det lille vinduet for at folk om natta skulle finne veien gjennom mørket, og bildet av faren hans hang der med det lange skjegget i ei gullmalt ramme over knaggerekka, og han ble stående fortumla med bare sokkene på der døra slo ut, og den *skulle* slå ut så ikke snøen slo inn når været sto på, og *nå* greide han ikke se en annen vei i det hele tatt, men stirra i stedet den veien hun gikk. Hun kjente tydelig i ryggen at han sto der, og det overraska henne på en illevarslende måte, men hun snudde seg ikke, dro bare pinnen av låsen og åpna den store låvedøra og gikk inn og ble borte en evighet. Han sto der fortsatt og stirra. Til slutt kom hun ut med den fremmede mannen på slep, hun i varme støvler og jakke og han i sommersko og dress med den grå sekken på ryggen. Han hadde fått en genser på for å ha under dressen,

142

og jakka var blitt trang og bulkete og ikke videre elegant. Noe slagvåpen hadde han ikke lenger, og hun leide han nærmest, han var ydmyk nå, og nesten slapp og lealaus og kanskje utslitt etter en utladning han ikke hadde vært forberedt på. Midtveis over tunet på vei forbi våningshuset mot brygga, snudde hun seg plutselig og så tilbake. Fotspora deres var tydelige i snøen, først den fremmede mannens spor opp gårdsveien, og så hennes egne fra huset, og til slutt begge to sine fra låven og bort til punktet hvor de sto nå. Avtrykkene etter de byaktige sommerskoa var påfallende og ikke som noe annet du kunne se i de traktene på denne tida av året, og hun tenkte og så ned i bakken og beit seg i leppa, og mannen ville ikke stå der mer og begynte å dra henne i jakkeermet.

– Kom, sa han med lav pipestemme, – vi må gå nå, og han hørtes ut som et bortskjemt barn. Hun så opp på mannen sin som fortsatt sto i døråpninga. Han var en stor mann, han fylte den døråpninga helt, ikke noe lys slapp forbi. Hun sa:

– Du må gå opp spora hans. Du har ikke noe valg.

Noe i ansiktet hans stivna da hun sa de orda, men det så ikke hun, for mannen i dressen var utålmodig og hadde sluppet armen hennes og var nesten nede ved brygga allerede, og hun skyndte seg etter, og så forsvant de rundt huset og var ute av syne.

Han ble stående i sokkelesten og se ut på tunet. Gjennom stillheten hørte han dem entre båten og årene bli lagt i åregangene og det dempa plasket da de møtte vannflata første gangen og den rytmiske knirkinga av jern imot tre da kona hans begynte å ro med de sterke armene han kjente så godt fra utallige favn-

143

tak i nettene og åra som lå bak han. Hun var på vei opp elva for enda en gang å besøke mannen fra Oslo som var der på setra. Hver gang det var noe i veien, måtte hun dit, hver gang noe viktig skulle skje, så måtte hun dit, og nå hadde hun en skjelvende tufs i båten som sannsynligvis kom fra den samme byen, og det var midt på dagen med et hardt lys på snøen, og han kasta et siste blikk ut på tunet og tok et valg han skulle komme til å angre på, og så lukka han døra og gikk inn i stua og satte seg der. Tvillingene lekte fortsatt på kjøkkenet, han hørte dem godt gjennom veggen. De trudde jo alt var som før.

11

Jeg sitter lenge på benken og ser ut over sjøen. Lyra
løper omkring. Jeg veit ikke hva som skjer. Noe glir
av meg. Kvalmen er borte, tankene er klare. Jeg føler
meg vektløs. Det er som å bli frelst. Fra havsnød, fra
tvangstanker, fra onde ånder. En exorsist har vært her
og reist igjen og har tatt med seg all dritten. Jeg puster
fritt. Det fins fortsatt ei framtid. Jeg tenker på mu-
sikk. Antakelig kjøper jeg en CD-spiller.

Jeg kommer opp bakken fra brua med Lyra i hælene
og ser at Lars står på tunet mitt. Han holder ei motor-
sag i den ene neven, den andre er knytta rundt en av
greinene på bjørka. Han rugger i treet, men det leer
seg ikke som jeg kan se. Bare greina bøyer seg. Sola er
gulere nå, med et skarpere lys mot ansiktet. Lars har
ei skyggelue på hodet som han har trukket godt ned
over øynene, og når han hører at jeg kommer, snur
han seg og må nesten legge hodet bakover for å kunne
se ut under skyggen og møte blikket mitt. Poker og
Lyra løper etter hverandre rundt huset så godt det lar
seg gjøre med bjørka på tvers over tunet, og så barker
de sammen i et lekeslagsmål og knurrer og hyler og
ruller rundt i graset bak uthuset og har det fint.
    Lars smiler og rusker i greina igjen.

– Skal vi ta'n? sier han.

– Veldig gjerne, sier jeg og smiler så entusiastisk jeg kan. Og jeg mener det. Det er befriende. Det kan godt hende at jeg liker Lars. Jeg har nok ikke vært sikker, men det kan godt hende det går den veien. Det skulle ikke forundre meg.

– Men da må du nesten kappe den greina der, sier jeg og peker mot den som har dratt med seg takrenna og ligger og presser mot uthusdøra, – for jeg har saga mi der inne.

– Det skal vi ordne, sier han og drar sjåken ut på saga si, som er en Husqvarna og ikke en Jonsered, og det er også befriende på en lattermild måte, som om vi gjorde noe vi ikke helt hadde lov til, men visste var virkelig morsomt, og han ruser et par ganger og smekker sjåken inn igjen og tar et skikkelig tak i snora, og samtidig som han drar, lar han saga falle med hånda, og den starter med en snill brumming, og på en, to, tre, er greina borte og kappa i fire deler. Døra er fri. Det er et oppløftende syn. Jeg dytter den dinglende takrenna til side og går inn og henter saga mi som står der på krakken hvor jeg satte den sist og får med meg ut den gule dunken med totaktsbensin. Det er litt igjen. Jeg legger saga over på sida i graset og setter meg på huk og skrur opp bensinlokket og heller på, og det blir akkurat fullt, og så er dunken tom. Jeg søler ikke engang, jeg skjelver ikke på hånda, og det er jo greit når noen står og ser på.

– Jeg har et par dunker med bensin i skjulet, sier Lars, – så da kan vi holde på til vi blir ferdige. Ingen vits i å bryte av og kjøre bort til bygda når vi har en jobb vi skal gjøra.

– Ingen vits i det hele tatt, sier jeg og har ingen lyst til det heller, å dra bort i bygda nå. Jeg trenger ingenting i butikken, og dette er ikke dagen for sosiale utskeielser. Jeg starter Jonsereden, og det lykkes heldigvis på første forsøk, og vi går løs på bjørka, Lars og jeg, fra hver vår kant; to litt stive menn mellom seksti og sytti med øreklokker på hodet mot det intense hylet fra de to sagene når de synker i treet, og vi bøyer oss over dem og holder armene fra kroppen for å sikre at det livsfarlige kjedet er en forlengelse av vår vilje og ikke vi av saga, og vi tar greinene først og skjærer dem av helt inntil stammen og deler dem opp i passe stykker og kapper vekk alt jeg ikke kan bruke til ved og drar det rasket sammen i en egen haug som kan fyres opp og bli til bål i novembermørket.

Det er fint å se Lars jobbe. Han er ikke rask, men han er systematisk og beveger seg mer elegant inntil bjørkestammen med den tunge saga i nevene enn han gjør ute på veien sammen med Poker. Hans mønster smitter over på mitt mønster, og det er som det pleier å være for meg; bevegelsen først og så forståelsen, for etter hvert blir det klart at måten han bøyer seg på og flytter seg på og noen få ganger vrir seg og lener seg på, ligger logisk opp mot den mjuke balanselinja mellom kroppens tyngde og draget fra sagkjedet når det griper i stammen, og alt det for å gi saga den letteste veien til målet med minst mulig fare for den menneskelige kroppen, åpen for alt som den er; det ene øyeblikket sterk og ikke til å beseire, og så et smell, og den er plutselig i filler som ei dokke kan gå i filler, og alt er over og ødelagt for alltid, og jeg veit ikke om han tenker på den måten, Lars, der han håndterer motorsaga med en sånn selvfølgelighet. Det gjør han nok ikke, men *jeg* gjør det flere ganger, greier ikke å la være når det først kommer over meg, og det gjør meg ikke nettopp rask. Det er likevel ikke så farlig, jeg er vant til den slags, men jeg er sikker på at mora hans må ha tenkt tanker som det da hun rodde for livet opp elva den gangen på seinhøsten 1944, og Lars rulla omkring på kjøkkengolvet i lystig slåsskamp med tvillingbroren Odd og visste ikke noen ting om det som foregikk omkring han, hva det kunne føre til, visste ikke at han tre år seinere skulle skyte nettopp Odd ut av livet med storebror Jon si børse og rive hans kropp i filler. Ingen kunne vite det, og ute var det fortsatt dagen med et stålgrått lys mot de snødekte åkrene, og på vannet prøvde mora hans å få det til å virke som en hvilken som helst av mange turer opp til setra.

Jeg kan se det for meg.

De blå vottene hardt rundt årene og spenntak med støvlene mot spantene og pusten hennes damphvit ut i hese støt, og den fremmede mannen mellom beina hennes i bunnen av båten med sommersko på føttene og armene klemt rundt den grå sekken han ikke ville slippe, og han frøys ikke mindre nå i de tynne dress-buksene. Han skalv noe helt utrulig, det dunka i tre-verket som fra en totakter av ukjent type, hun hadde aldri sett noe liknende og var redd de skulle høre den nye motoren hennes inne på land.

Jeg kan se det for meg.

Den tyske motorsykkelen med sidevogn i bedagelig fart opp den nybrøyta hovedveien, og så svinger den inn på tunet til nettopp den gården, helt umotivert, ingen har noen gang forstått hva det var han egentlig ville, han som kjørte. Kanskje han var ensom bare og lengta etter noen å snakke med, eller var sugen på en røyk, og da han skulle tenne sigaretten, var den siste fyrstikken svart, og så var han på vei inn for å låne ei eske og for å ha noen å stå sammen med når han røyka og skua utover landskapet og elva, og han ville ikke være noen annen akkurat da enn den ene av to menn fra hvert sitt land i forbrødring over en uskyldig sigarett, bortafor all faenskap og krig, eller det var en annen grunn som ingen kunne komme på hverken da eller seinere. I hvert fall stoppa han sykkelen på tunet, steig av og gikk uten hastverk mot døra i våningshuset. Men han kom aldri helt fram. Plutselig ble han stående og stirre ned i bakken, og så begynte han å gå fram og tilbake, og så gikk han i ring, og han satte seg på huk, og til slutt gikk han ned forbi huset til elva og helt ned på brygga. Det som skjedde med han der, var at i hjernen hans ble et lys tent i det store mørket. Mynten falt ned i automaten på riktig plass, og det sa «klikk». Nå forsto han alt. Og han hadde dårlig tid. Han kom løpende opp igjen og kasta seg på sykkelen og tråkka startpedalen ned både fort og hardt, men motoren ville faen ikke starte, og han prøvde igjen og igjen og så enda en gang, og da kom den som ei kule helt plutselig, og han hang over styret og fór ned gårdsveien og skrensa ut på hovedveien med den tomme sidevogna skranglende i yttersving så snøspruten sto. I nettopp den svingen kom Jon gående tilbake fra skolen med skoleveska under armen, og han hørte sykkelen, men rakk ikke annet enn å kaste seg i grøfta for ikke å bli kjørt overende og kanskje kvesta for livet. I fallet spratt lokket på veska hans opp, og de bøkene han eide seilte til alle kanter. Men det brydde ikke soldaten seg noe om, han ga bare mer gass og forsvant opp mot krysset der butikken og kirka lå, og der brua gikk over elva.

Jeg kan se det for meg.

Jon står i grøfta og plukker bøker i snøen mens mora hans fortsatt er på elva med mannen i dress som klemmer seg flat mot bunnen av båten. Det er tungt å ro motstrøms med to personer ombord sjøl om strømmen er svak på denne tida av året, og det går ikke fort. Fortsatt er det et godt stykke opp til setra der faren min står bøyd over et bord i uthuset og snekrer og har ingen som helst anelse om at hun er på vei. Mannen i båten skjelver og kjefter for seg sjøl, og så gråter han litt og kjefter igjen, og hun som ror ber han tynt om å være stille, men han knyter hendene rundt reimene til sekken og er i sin egen verden.

I huset sitt sto Franz på kjøkkenet med vinduet åpent, for han hadde fyrt hardt i ovnen da han kom hjem fra arbeidet i skauen, og nå var det så varmt i rommet at han måtte lufte. Det var fortsatt lyst, og han sto der og røyka og prøvde å komme på hvorfor han ikke hadde gifta seg. Det var noe han grubla over hvert år på den tida da kulda kom krypende og så helt opp til jul og litt til, men på nyåret slo han det fra seg. Det var ikke mangel på tilbud som var årsaken, men da han sto der ved det åpne vinduet og røyka, kunne han just ikke huske hva årsaken var, og det virka som en meningsløs situasjon akkurat da, at han bodde aleine. Og så hørte han en motorsykkel komme i stor fart opp veien på den andre sida av elva. Femti meter fra huset hans var brua, og på motsatt side og tjue meter lenger bort, sto vaktposten i den lange grågrønne frakken sin med maskinpistolen stikkende opp bak skulderen, og han småfrøys og kjeda seg. Han hørte også motorsykkelen, og han snudde seg mot lyden som vokste i styrke og gikk noen skritt i den retninga. Nå kunne Franz så vidt se hodet til sykkelføreren med hjelmen på dukke opp bak et kjerr der borte, og så var hele sykkelen synlig, og føreren lå bøyd over styret for å minske luftmotstanden, og det var ikke mange hundre meterne igjen til krysset. Det hadde vært disig og overskya hele dagen, og nå, like før sola skulle gå ned, kom den plutselig fram i sørvest og kasta et gullskjær gjennom dalen i lav, skrå vinkel og det lyste opp elva og alt som var på den og sendte et blendende lys i øynene til Franz og vekte han fra tankene på mulige giftermål og den lange rekka av blonde og mørkhåra kandidater han mente hadde stått i kø, og det gikk plutselig opp for han hva det var han egentlig så der borte på veien. Han slengte sigaretten gjennom vinduet, tverrsnudde og løp ut i gangen mens han dro kniven fra beltet og falt på kne og dro fillerya sammen til en rull. Det var en sprekk der i golvet som han satte knivbladet hardt nedi og bendte til, og fire golvbord festa sammen vippa opp, og han la dem til side og stakk hånda ned i rommet på undersida. Han hadde alltid visst at denne dagen ville komme. Han var forberedt. Det gjaldt å ikke nøle, og han nølte ikke et øyeblikk. Opp av det lille rommet løfta han en detonator, kjente fort at ledningene var på plass og ikke hadde surra seg til, og han satte den støtt mellom knærne, trakk pusten djupt én gang mens han holdt hardt i hendelen, og så smelte han den ned. Det rista i huset hans og klirra i rutene, og han slapp pusten ut igjen og satte detonatoren tilbake i det lille rommet, la golvborda i den firkanta åpninga og dunka dem på plass med knyttneven og rulla fillerya over så alt så ut som det hadde gjort bare et øyeblikk før. Han reiste seg og løp til vinduet og så ut. Brua var i filler, og deler av treverket virvla fortsatt i lufta som i sakte film på vei ned igjen i den plutselige stillheten etter eksplosjonen, og noe av planken traff steinene ved bredden på en merkelig lydløs måte og noe falt i vannet og begynte å drive med strømmen, og det var som om Franz så alt gjennom glass enda vinduet sto åpent.

På den andre sida av den ødelagte brua lå vaktposten framstups i snøen med nesa i bakken en bra bit fra stedet hvor Franz hadde sett han sist. Motorsykkelen hadde ikke rukket fram i tide, og nå senka den farten og rulla nesten nølende mot kroppen i snøen og stoppa. Sykkelføreren steig av, tok hjelmen av hodet og holdt den under armen som var det en gravferd han skulle ut på og gikk de siste meterne bort til vaktposten og stilte seg over han med bøyd nakke. Et vindpust dro i håret hans. Han var bare en gutt. Han sank ned på kne foran det som godt kunne være hans beste venn, men da heiste vaktposten seg opp på hendene og knærne og var ikke død. Han ble værende i den stillinga mens han tydelig spydde, og så kom han seg helt opp på beina med maskinpistolen som støtte, og sykkelføreren kom seg også på beina og bøyde seg fram og sa noe til han, men vaktposten rista på hodet og pekte på øra sine. Han hørte ingenting. De snudde seg begge og stirra mot brua som ikke fantes mer, og så løp de mot motorsykkelen, og vaktposten satte seg i sidevogna og føreren på setet, og han starta sykkelen igjen og svingte ut av plassen. Ikke mot gården der de var innkvartert med resten av patruljen, men tilbake ned veien han nettopp var kommet opp, og han ga så mye gass han turte, og sykkelen gikk tyngre nå med passasjeren i sidevogna, men så kom den i siget, og farten steig, og da de noen minutter seinere passerte gården til Barkald, gikk det virkelig fort. Rett etter vrengte de av veien, og de la seg begge tungt over som i en seilbåt i sterk vind for å greie svingen uten å tippe overende. Sidevogna letta et øyeblikk fra bakken, og de skvatt utpå den snødekte enga og rett mot gjerdet og mot grinda de ikke tok seg tid til å åpne, men bare kjørte tvers igjennom med et smell så bordbitene fløy til alle kanter og slo dem mot hjelmene, men de stoppa ikke, og det var så vidt det var plass mellom grindstolpene. Og så fór de over enga tett inntil piggtrådgjerdet med gjerdestaurene tikkende forbi, og sykkelen humpa og slang fra den ene sida til den andre over tuene på vei ned mot elva langs stien der faren min pleide å gå når han skulle til butikken for å hente «post», der også jeg pleide å gå, bare fire år etter, i følge med kameraten min Jon som en dag bare forsvant ut av livet mitt, og det fordi den ene broren hans skøyt den andre ut av *sitt* liv med ei børse som han, Jon, hadde glemt å sikre. Det var høysommer da, han var sine brødres vokter, og på ett øyeblikk var alt forandra og ødelagt.

*

På den andre sida av elva hadde mora til Jon akkurat rodd båten inntil bredden ved sida av den som faren min pleide å bruke, og hoppa på land for å dra den det stykket opp som var nødvendig for at ikke strømmen skulle ta den og kanskje drive den over til den andre sida der den helst ikke burde være, og mannen i dress reiste seg utålmodig og prøvde feilaktig å springe ut mens hun ennå ikke var ferdig. Det gikk dårlig. Han falt framover da hun rykka i baugen og slo hodet mot den ene tofta fordi han ikke tok seg for med hendene, men i stedet holdt dem knytta rundt sekken. Hun var nesten på gråten nå.

– Men for faen i helvete, kan du ikke gjøra *noen* ting riktig! ropte hun som knapt hadde brukt et banneord i sitt liv, og hun visste jo det var feil å rope, men greide ikke la det være, og hun tok et kraftig tak i jakka hans og halte han som en tomsekk ut av båten. Da hun retta seg opp, både så hun og hørte hun motorsykkelen komme over enga på motsatt side, og faren min kom stormende ut av skjulet ved seterhytta, for han hadde også hørt den og skjønte med én gang at noe var på tok. Han så dem i enden av stien ved vannet, mora til Jon med lue og votter og den fremmede mannen i dress på alle fire ved sida av båten og motorsykkelen som nå hadde stoppa rett før den siste hellinga med grus og steiner før bredden.

– Kom deg på beina! skreik mora til Jon inn i øret til dressmannen, og han prøvde så godt han kunne mens hun dro han i jakka, og gutten i den tyske uniformen ropte:

– Halt! der han rutsja ned hellinga med vaktposten hakk i hæl, og kan det være riktig at han også ropte et

154

bønnfallende «vær så snill» på tysk? Franz mente det, han var sikker på det: «*Bitte, bitte*», skal han ha ropt, den unge soldaten. I hvert fall stoppa de i vannkanten og ville ikke uti. Det var for kaldt, det var for djupt, og om de svømte over, ville de ei stund være ubehjelpelige blinker og uansett treffe den andre bredden mye lenger ned på grunn av strømmen som ikke var så sterk på denne tida av året, men sterk nok. Bak dem på toppen sto motorsykkelen og putra som et andpustent dyr, og de dro maskinpistolene av skuldrene, og faren min ropte:

– Løp for faen! og begynte å beinfly sjøl, *ned* mot elva mellom trærne som ingen hadde ofra i noen tømmerhogst ennå, og han brukte dem til å løpe sikksakk rundt for å dekke seg bak de tjukke stammene, og akkurat da begynte soldatene på den andre sida å skyte. Først varselskudd over hodene på de to som bevegde seg altfor sakte opp fra båten, og de hørte kulene slå inn i trestammene med en splintrende kraft og en helt spesiell lyd hun ville huske bestandig, sa mora til Jon seinere. Ingenting hadde noen gang gjort henne så redd som nettopp den lyden, det var som om grantrærne stønna, og så skøyt de på alvor, og de traff dressmannen med én gang. Den mørke jakka var en tydelig blink mot den hvite bredden, og han mista sekken, falt rett fram i snøen og sa mest til seg sjøl og så lavt at mora til Jon så vidt kunne høre orda:

– Ååå. Det var det jeg visste.

Og så begynte han å gli, tilbake ned hellinga mot båten, forbi den krokete furua som hang ut over elva, og han stoppa ikke før den ene sommerskoa stakk ut i vannet. De traff han enda en gang, og da sa han ingenting mer.

Faren min hadde stoppa rett overfor i ly av ei gran. Han ropte:

– Ta sekken hans og løp opp hit! og mora til Jon treiv den grå sekken med den blå votten og løp krumbøyd og sikksakk opp, og kan hende var det fordi de aldri hadde drept noen før, at de to soldatene plutselig ikke skøyt så intenst lenger, eller fordi den som løp var en kvinne. De skuddene som kom, var i hvert fall mest for å skremme, og mora til Jon kom seg helskinna opp stien og videre sammen med faren min helt opp til hytta. Der løp de inn og fikk med seg det aller viktigste og de dokumentene faren min hadde gjemt unna. Gjennom vinduet så de to biler komme over enga i stor fart fra veien, og soldater som hoppa ut og løp ned til elva. Faren min stappa alt de trengte ned i sekken til dressmannen og knytta et hvitt laken omkring den. Så klatra de ut vinduet på baksida, og med det lange, hvite vinterundertøyet til faren min trædd utapå de andre klærne rømte de, nærmest hånd i hånd, til Sverige.

Sola hadde seilt videre, det var ikke lenger så lyst i det blå kjøkkenet, og kaffen i koppen min var kald.

– Hvorfor forteller du meg om disse tinga, når faren min ikke vil snakke om dem? sa jeg.

– Fordi han har bedt meg om å gjøra det, sa Franz.

– Når anledninga bøy seg. Og det gjorde den jo nå.

12

Mens Lars og jeg har holdt på med bjørka, har det sakte blitt kaldere, sola er borte, og det blåser opp. Et grått skylag siger over himmelen som ei dyne, den blå stripa presses mot åsen i øst og er til slutt helt borte. Vi tar en pust i bakken, retter de stive ryggene og prøver å late som det ikke gjør vondt. Det lykkes ikke helt, jeg må presse ei hånd mot korsryggen for å holde meg i noenlunde oppreist stilling, og et øyeblikk ser vi bort i hver vår retning mot skogen. Så ruller Lars en sigarett og tenner, han lener seg mot uthusdøra og røyker rolig. Jeg husker hvor godt det var å røyke etter ei fysisk arbeidsøkt, sammen med den eller de du hadde delt arbeidet med, og jeg savner det for første gang på mange år. Så ser jeg på haugen med kubber der store deler av bjørka nettopp har ligget og breia seg. Lars ser også den veien.

– Ikke dårlig, sier han rolig og smiler. – Vi er halvveis.

Lyra og Poker er også slitne. De ligger side ved side på trammen og peser. Motorsagene er slått av. Alt er stille. Og så begynner det å snø. Klokka er ett på dagen. Jeg ser opp mot himmelen.

– Faen, sier jeg høyt.

Han følger blikket mitt. – Det blir ikke liggende, det er for tidlig, bakken er ikke kald nok, sier han.

– Det stemmer sikkert, sier jeg, – men det bekymrer meg uansett. Jeg veit ikke helt hvorfor.

– Er du redd for å snø inne?

– Ja, sier jeg og kjenner at jeg rødmer. – Det også.

– Da burde du skaffe deg en som kan måke for deg. Det har *jeg* gjort. Åslien, en bonde borti veien her. Han stiller alltid opp uansett når, han har måkt for meg i flere år. Det tar han ikke lang tid, når han først er ute. Det er bare rett opp veien vår med skjæret og så ned igjen. Et kvarter på det meste, bruker han på det.

– Jo, sier jeg, kremter litt og fortsetter, – nettopp han, jeg ringte han i går, fra kiosken ved Samvirkelaget. Det var greit sa han, femogsytti kroner gangen. Er det det du betaler også?

– Ja, sier Lars, – det er det. Så da er du jo sikra da. Denna vinteren ordner seg. Men det der oppe nå, sier han nesten illevarslende og lener seg bakover og ser mot himmelen. – La det komma ned. Han smiler og ser fandenivoldsk ut.

– Hva sier du, skal vi gå på igjen? sier han.

Jeg kjenner at holdninga hans smitter, jeg *har* lyst til å gå på igjen. Men det overrasker meg også, og bekymrer meg, at jeg plutselig skal være avhengig av et annet menneske for å orke å gå på en så enkel og nødvendig jobb. Tid er jo det jeg har nok av. Noe i meg forandrer seg, *jeg* forandrer meg, fra en jeg kjente godt og stolte blindt på, kalt gutten med gullbuksene av dem som var glad i han, som hver gang han stakk hånda i lomma kom opp med skinnende mynter i rikelige mengder, til en jeg kjenner mye dårligere og ikke veit hva han har av rask i lommene, og jeg lurer på hvor lenge denne forandringa har vært på vei. I tre år kanskje.

– Ja visst, sier jeg. – Det gjør vi.

Etterpå inviterer jeg han inn, det må jeg jo etter den innsatsen. Det snør ganske tett, men det legger seg egentlig ikke. Ikke ennå i hvert fall. Vi har lagt opp noen durabelige stabler der ute mot uthusveggen, ved sida av kubbene fra tørrgrana, og tunet er blåst bortsett fra den store rota vi har bestemt vi skal dra vekk med kjetting og bil i morgen. Kjettingen er nede i garasjen til Lars. Men det får holde nå, vi er slitne og ganske sultne og kaffetørste. Jeg lurer på om det var særlig smart av meg å gå på så hardt med en sånn start på dagen som jeg har hatt, men det kjennes bra i kroppen, det gjør det, jeg er sliten på en helt grei måte, bortsett fra i ryggen, og det er som det pleier å være, og jeg kunne jo ikke godt la Lars rydde tunet mitt aleine.

Jeg måler opp kaffe i filteret og heller kaldt vann i beholderen og setter trakteren i gang, og så skjærer jeg opp brødskiver og legger i en kurv og henter smør og pålegg i kjøleskapet og sprer det på asjetter og fyller ei lita, gul mugge med melk til kaffen og setter alt på bordet med kopper og glass og kniver til to.

Lars sitter på vedkassa ved ovnen. I bare sokkelesten ser han ung ut, som egentlig alle gjør når de sitter sånn og føttene ikke når helt ned til golvet. I motsetning til meg er han tørr i håret fordi han har hatt skyggelua på hodet, og han har ikke sagt noen ting etter at han kom inn, bare stirra ned i golvet og sett grublende ut, og jeg har for så vidt heller ikke sagt noen ting og har vært glad for å slippe, uvant som jeg er med småprat nå, og så sier han:

– Skal jeg fyre opp?

– Fint, sier jeg, – gjør det, for det er sant at det er blitt kjølig her inne, og samtidig blir jeg litt stuss over at han vil ta seg til rette i mitt hus og *mener* noe høyt om hvordan jeg har det, det ville aldri jeg ha gjort, men han spør jo først, så da er det vel greit. Lars hopper ned fra vedkassa, åpner lokket og tar opp tre flisete kubber og et par sider av et Dagbladet fra i forrige uke jeg har i kassa til det bruk, og på kort tid har han fyr i ovnen, mye kjappere enn det jeg pleier å få til, han har gjort dette i hele sitt liv, og så spraker det og freser fra trakteren på benken; du gode, gamle jeg har hatt så lenge, og litt etter går jeg bort og heller fra kolben over i ei termokanne. Med den i hånda står jeg et øyeblikk og prøver å tenke på henne jeg pleide å drikke kaffe med hver morgen i mange, mange år, men hun glipper, og jeg greier ikke se henne for meg. I stedet ser jeg ut gjennom vinduet på det renska tunet der bare sagflisa ligger i små, gylne hauger rundt den store rota og de digre snøfillene som seiler helt stille ned og legger seg noen få sekunder før de blir borte på mystisk vis. Skal det fortsette sånn gjennom natta og helt til i morgen, blir det sikkert liggende.

Spiste jeg frokost i morges? Det husker jeg ikke, det virker så lenge siden. Alt mulig har skjedd siden da. Jeg er i hvert fall veldig sulten nå. Jeg snur meg fra vinduet mot Lars, slår ut med hånda i retning bordet og sier:

– Værsågo', det er servert.

– Takk som byr, sier han og har igjen lokket på vedkassa, og vi setter oss, litt sjenerte, og hiver innpå.

De første minuttene sier vi ingenting. Maten smaker overraskende godt, og jeg må bort i brødboksen for å se om brødet jeg har kjøpt er en annen type enn det jeg pleier å handle på butikken, men det er det samme gamle. Jeg setter meg igjen og spiser videre og må si jeg nyter maten. Jeg prøver å holde igjen så det ikke skal gå for fort, og Lars spiser videre med blikket på asjetten. Det er greit for meg, jeg har ingen trang til å konversere, og så løfter han likevel hodet og sier:

– Jeg skulle jo egentlig ta over gården.

– Hvilken gård var det? sier jeg, enda det kan jo bare være snakk om én gård. Men jeg var ikke akkurat der i tankene nå, og jeg lurer på om det er sånn en blir av å leve lenge aleine, at en bare begynner å snakke høyt midt i ei tankerekke, at forskjellen på å snakke og ikke snakke sakte viskes ut, at den evige, indre samtalen vi fører med oss sjøl glir over i den vi fører med de få menneskene vi fortsatt omgås, og når en lever aleine i altfor lang tid, blir linja som skiller den ene fra den andre utydelig, og du merker det ikke når du krysser den linja. Ser framtida mi sånn ut?

– Gården hjemme. I bygda, vel.

Det er sikkert hundre tusen bygder i Norge, vi er i én av dem nå, men det er klart, jeg veit hvor han mener.

– Du har vel lurt på hvorfor jeg bor her og ikke oppe i bygda jeg kommer fra? sier han.

Det har jeg faktisk ikke lurt på, ikke sånn som han mener det, men det burde jeg kanskje ha gjort. Det *jeg* har lurt på, er hvordan jeg kan havne på det samme stedet som han etter alle disse åra. At noe sånt er mulig.

– Jo, for så vidt, sier jeg.

– Jeg skulle ta over, jeg var jo den eneste hjemme. Jon var på sjøen, Odd var død, jeg hadde jobba på den gården i hele mitt liv, hver eneste dag, jeg hadde ikke ferie engang, sånn som folk har nå. Og faren min kom aldri tilbake, han blei sjuk. Det var ingen som skjønte hva som egentlig feilte han. Han brakk beinet, og han brakk noe i skulderen og ble kjørt til sjukehuset i Innbygda, det var i 1948, du husker det året, jeg var bare guttungen da. Men han kom aldri tilbake. Og så gikk åra, og så kom Jon tilbake, fra sjøen. Jeg kjente han ikke igjen. Det hadde vært som om de ikke fantes mer, noen av dem. Jeg tenkte ikke på dem. Og så kom bare Jon én dag opp veien fra bussen og inn gjennom døra og sa han var klar til å ta over gården. Han var fireogtjue år. Det var hans rett, sa han. Mor mi sa ingenting til det, og hun gikk ikke imellom og talte min sak, men jeg husker blikket hennes da, åssen hun ikke så rett på meg i det hele tatt. Den gården var alt jeg kunne og visste noe om. Jon var lei av sjøen, han hadde sett alt, sa han. Det er mulig det. Han hadde sendt noen få kort i løpet av de åra, fra Port Said og sånne steder; Aden, Karachi, Madras, du veit, sånne steder en ikke har peiling på hvor er om en ikke slår opp i skoleatlaset. m/s Tijuka het en av båtene, jeg husker godt de konvoluttene, for navnet på båten var stempla på forsida, og det var et navn jeg aldri hadde sett makan til. Jon virka ikke frisk, spør du meg. Han var tynn og slengete, han kan ikke drive en gård, tenkte jeg. Han så ut som en narkoman sånn som du ser dem i Oslo nå for tida, han var nervøs og oppfarende. Men det var ikke noe jeg kunne gjøra. Det var hans rett.

Og så blir Lars stille. Det var en lang tale til å være han. Han begynner å spise igjen, han har ikke kommet så godt i gang som meg, men også han syns maten er god. Jeg skjenker kaffe i koppen hans, og jeg byr han melk, og han tar imot den lille, gule mugga og heller litt i toppen av koppen og er fortsatt stille mens han gjør seg ferdig, og når asjetten er tom, spør han om han kan ta seg en røyk her inne, og jeg sier:

– Ja visst kan du det, og han ruller en røyk fra rødmikspakka si og fyrer opp og trekker inn og sitter og stirrer på sigarettgloa, så da spør jeg likså godt:

– Hva gjorde du da? Lars løfter blikket fra sigaretten og stikker den samtidig i munnen og tar et djupt trekk, og mens han sakte blåser ut, gjør han en grotesk grimase som for å dekke seg bak ei tullemaske, og det kommer så uventa at jeg helt blir tatt på senga og sitter der og gaper, jeg har ikke sett han sånn før. Det er et merkelig komisk syn faktisk; som en klovn på sirkus som skal få alle til å gråte i sekundet etter at de har ledd på seg brokk eller som Chaplin i ekstrem tapning eller en annen av de gamle stumfilmstjernene, som han som bestandig blingsa kanskje, og han har et skikkelig gummiansikt, Lars, men det er ikke noe jeg kan le av der. Han presser munnen til en strek og kniper øynene hardt sammen, og så vrir han hele ansiktet femogførti grader over til høyre og ned forbi øret, eller sånn ser det i hvert fall ut, og de trekkene jeg så vidt er blitt kjent med, forsvinner i skrukker, og han holder det sammenpressa sånn ei god stund før han åpner øynene og lar hver enkelt del av ansiktet falle tilbake på plass mens røyken fortsatt siver ut mellom leppene, og jeg veit jamen ikke hva slags forestilling jeg har vært vitne til. Han puster tungt inn og tungt ut igjen og er blank i blikket når han ser rett på meg og sier:

– Jeg dro. Den dagen jeg fylte tjue år. Jeg har ikke vært hjemme sia det. Ikke i fem minutter.

Det blir stille i kjøkkenet mitt, Lars er stille og jeg er stille, og så sier jeg:

– Det var som faen.

– Jeg har ikke sett mora mi sia jeg var tjue, sier han.

– Lever hun fortsatt da? sier jeg.

– Jeg veit ikke, sier Lars. – Jeg har ikke undersøkt.

Jeg ser ut av vinduet. Jeg veit ikke om dette er noe jeg vil vite noe om. Jeg kjenner en stor trøtthet synke over meg og dekke meg og trekke meg ned. Jeg spør jo bare fordi jeg syns jeg *må* spørre, fordi det åpenbart er viktig for Lars å få sagt disse tingene til meg, og på mer enn én måte interesserer de meg jo, han skulle bare ha visst, men så veit jeg ikke om jeg egentlig vil vite noe om dem. Det tar for mye plass. Det er blitt vanskelig å konsentrere seg, for møtet mitt med Lars har fått meg ut av balanse, har fått planen min her til å bli utydelig, nesten uviktig i øyeblikk jeg ikke konsentrerer meg, det er bare å innrømme det. Jeg farer opp og ned med humøret som en elevator, fra loft til kjeller på et par timer, og dagene mine nå har ikke blitt som jeg hadde tenkt meg. Den minste ting i veien, og jeg bygger den opp til katastrofale dimensjoner. Ikke at den bjørka var liten, det er ikke det jeg mener, og ikke at det ikke har gått bra heller, for det har det så visst, med Lars sin hjelp, men jeg ville jo egentlig være aleine. Løse problemene aleine, ett etter ett, med klar tenkning og gode redskaper, som kanskje faren min gjorde det den gangen på setra; tok én oppgave av gangen og vurderte den og la fram verktøy han trengte i kalkulert rekkefølge, og tok fatt i den ene enden og jobba seg igjennom til den andre mens han tenkte og brukte hendene og likte det han gjorde, sånn som jeg også ønsker å like det jeg gjør; å løse de daglige utfordringene som kan være kinkige nok, men har en klar begrensning, en begynnelse og en slutt som jeg kan overskue, og så være sliten om kvelden, men ikke ødelagt, og våkne uthvilt om morgenen og trakte meg kaffe og fyre i ovnen og se ut på lyset som kommer rødt over skogen mot sjøen og kle på meg og gå langs stiene med Lyra, og så ta fatt på de oppgavene jeg har bestemt skal være den dagens innhold. Det er det jeg vil, og jeg veit at jeg kan, at jeg har den *i* meg, evnen til å være aleine, og jeg har ingenting å være redd for. Jeg har sett så mye og vært med på det meste i livet mitt uten at jeg skal gå i detaljer om det her, for jeg har vært heldig også, jeg har vært gutten med gullbuksene, men det skulle vært godt å få hvile litt nå.

Men så er det Lars, som jeg antakelig ikke kan la være å like, det er Lars; som reiser seg fra bordet og drar skyggelua fram og tilbake over håret til den finner plassen den skal ha, men ute er det jo skumring nå og i hvert fall ikke sol lenger, og han sier takk for maten på en keitete, formell måte som var det julemiddagen vi nettopp hadde fullført og han var gjesten som ønska seg ti mil vekk. Han trives nok bedre utendørs med ei øks i hendene eller ei sag, enn her inne i huset mitt, og det er greit for meg, jeg forstår det. Jeg ville hatt det på samme måten, om det var jeg som var gjesten, og vi var i hjemmet hans.

Jeg går ut i gangen og åpner døra for Lars og følger han ut på trappa, og der sitter Poker og venter. Og når jeg sier god kveld og takk for innsatsen, og han sier, den bjørka greide vi bra, og vi tar den rota i morgen med kjetting, så presser hunden seg mellom oss og setter seg ned og nistirrer på herren sin og begynner å knurre, men da snur bare Lars ryggen til uten å senke blikket ett øyeblikk og går rett forbi den og ned de to trappetrinnene og videre over tunet og ned bakken mot hytta han bor i. Poker blir stående rådvill med tunga hengende, og han ser opp på meg som bare lener meg mot døra og venter og ikke har noen forløsende kommando å gi, og så senker han plutselig hodet og lusker etter Lars med en motvillig kroppsholdning og nesten slepende skritt, og hvis jeg var *han* nå, ville jeg forbedre oppførselen min noe faderlig fort.

På tunet er det et tynt lag snø. Jeg la ikke merke til når det begynte å legge seg, men temperaturen har falt, det snør fortsatt, og jeg kan ikke se at det avtar. Jeg går inn og lukker døra etter meg og vrir om bryteren til utelyset. Lars har glemt arbeidshanskene sine, de ligger der han la dem på skostativet, og jeg tar dem og åpner døra og skal til å rope etter han, men det er jo meningsløst, han kan få dem i morgen, han skal nok ikke i gang med noe arbeid nå som han må bruke hansker til.

Lars. Som sier han ikke tenkte på broren sin i åra da Jon var ute til sjøs, men som husker byene og havnene han seilte på og hva som sto på konvoluttene han sendte hjem og hva skipene het som han mønstra på og mønstra av, og som slo opp i skoleatlaset for å følge med fingeren den ruta de skipene fulgte. Den allerede tynne og slengete Jon helt foran på dekk av M/s Tijuka med et hardt grep om relingen og blikket trassig og mysende mot kysten de nærmer seg. De kommer fra Marseilles, og fingeren til Lars har fulgt båten forbi Sicilia og den italienske støveltuppen og etter det diagonalt forbi de greske øyene, og sørøst for Kreta er det noe nytt i lufta, som har den en annen konsistens nå enn for bare et døgn siden, men det forstår ikke Jon ennå, at det nye i lufta er Afrika. Og da følger Lars han på vei inn til Port Said i det innerste Middelhavet hvor de skal losse og laste før ferden går sakte ned gjennom Suezkanalen med ørken på begge sider i lange strekk og et merkelig gult lys fra milliarder av skinnende sandkorn i solskinnet, og så krysse Rødehavet på langs til Djibouti først i brennende hete og videre til Aden på den andre sida av det smale stredet som skiller én verden fra en annen, hele tida i den unge poeten Rimbauds kjølvann som reiste her nesten sytti år før for å bli en annen enn den han var og legge alt bak seg som en ørkendykker på vei mot glemselen og seinere døden, og det veit *jeg*, for jeg har lest om det i ei bok. Men Lars veit ikke det der han sitter med atlaset foran seg på kjøkkenbordet i huset ved elva, og *Jon* veit det ikke, men i Port Said ser han sine første afrikanske palmer under den voldsomt blå og lave himmelen. Han ser byens flate tak, og han ser basarer og markeder ned alle gater og helt ut på bryggene og langs etter kaia der M/s Tijuka ligger. Det finnes ikke annet enn basarer i denne byen, og stemmer som roper på alle språk og vil selge deg noe, som vil du skal komme ned gangwayen, nettopp *du* som står der oppe med hendene så hardt rundt relingen og øynene som smale streker, du skal komme ned og kjøpe noe du bare er nødt til å eie om du veit ditt eget beste, det vil forandre livet ditt til det ugjenkjennelig lykkelige, og det er *special price for you today*, og det er øredøvende og forvirrende, det er cymbaler og pauker, og lukta slår han nesten i svime; en blanding av overmodne grønnsaker og ubestemmelig kjøtt han ikke hadde noen anelse om fantes i denne verden. Og det er krydder og urter og noe fra et bål han kan se aller ytterst på kaia, og han veit ikke hva de brenner der, men det har en skarp lukt, og han forlater ikke båten. Han gjør jobben sin med lossinga, og gyver på med all sin unge kraft, men han går *ikke* ned gangwayen. Ikke på frivakta eller på noen annen vakt, og når mørket brått faller på, blir han stående på dekk og betrakte livet som fortsetter i et mer dempa tempo i en blanding av elektrisk og levende lys, og alt virker mer lokkende nå enn i det grellere lyset om dagen, men er skummelt også, med sine flakkende skygger og trange smug. Han er femten år, og han forlater ikke båten i Port Said, og ikke i Aden heller, og ikke i Djibouti.

Jeg våkner om natta og setter meg opp i senga og ser ut i mørket gjennom vinduet. Det snør fortsatt, og det blåser, det er et virvar der ute, snøfillene fyker mot ruta. Der veien går ned mot elva, er det bare et stort hvitt teppe uten konturer av noe slag. Jeg åler meg ut av senga og går inn på kjøkkenet og tenner den lille lampa over komfyren. Lyra løfter hodet der hun ligger på plassen sin ved svartovnen, men det er ingenting i veien med det indre urverket hennes, hun veit vi ikke skal ut nå, klokka er bare to på natta. Jeg går ut på badet, eller egentlig kottet ved sida av gangen, der jeg har stående et vaskevannsfat, ei diger vannmugge og ei bøtte på golvet når været er sånn at jeg ikke har lyst til å gå ut bak huset. Jeg gjør unna et ærend der, og så tar jeg en genser på og et par sokker på føttene og setter meg ved kjøkkenbordet med en ganske liten dram og de siste sidene av *A Tale of Two Cities*. Sydney Cartons liv går mot slutten, blodet renner overalt omkring han, gjennom et rødt slør ser han giljotinen jobbe taktfast, hodene faller i kurven som fylles opp og erstattes med en ny når det ikke er plass til flere, og de strikkende kvinnene på orkesterplass teller, nitten, tjue, tjueen, tjueto, og han kysser henne som står foran han i køen og sier farvel og vi møtes i et land der ingen tid finnes eller sorg som her, og snart er det bare han igjen, og han sier til seg sjøl og til verden: «This is a far, far better thing than I have ever done.» Det er ikke lett å gå imot han i en sånn situasjon. Stakkars Sydney Carton. Riktig oppmuntrende lesning, må jeg si. Jeg smiler for meg sjøl og tar boka med meg inn i stua og setter den i hylla på plassen sin mellom de andre bøkene av Dickens, og tilbake i kjøkkenet tømmer jeg den lille drammen i én slurk og slår av lyset over komfyren og går inn i kammerset og legger meg. Jeg slokner før jeg treffer puta.

Klokka fem våkner jeg av duren fra en traktor og den skrapende, skramlende lyden av et snøskjær på vei opp mot huset mitt. Jeg ser lysene mot vinduet og forstår med én gang hva det er og snur meg bare og sovner igjen og får ikke tid til å tenke en eneste negativ tanke.

13

Etter morgenen med Franz så dalen annerledes ut. Skogen var annerledes, og engene var det, og elva var kanskje den samme, men samtidig en annen, og sånn var det også med faren min når jeg tenkte på historiene Franz hadde fortalt om han og like mye etter det jeg hadde sett han gjøre på brygga ved elvebredden foran huset til Jon. Jeg visste ikke om han var fjernere nå eller tettere på, om han var lettere å forstå eller vanskeligere, men han var helt sikkert annerledes, og jeg kunne ikke snakke med han om det, for det var ikke *han* som hadde åpna den døra, og da var det ikke min rett å gå inn, og jeg visste ikke heller om jeg ville.

Nå kunne jeg se han var utålmodig. Ikke at han var brysk eller oppfarende på noen måte, han var som han hadde vært siden vi kom hit med bussen, og om det var sant at jeg kjente en stor forskjell inne i meg når jeg tenkte på han, kunne jeg ikke *se* noen forskjell. Men nå ville han ikke vente lenger. Han ville ha tømmeret av gårde. Og uansett hva vi hadde gjort om dagen; vært på butikken, eller rodd opp elva til det lille stryket ved brua for å fiske fra båten på vei ned igjen, eller vi hadde snekra på tunet, eller gått omkring i hogstfeltet med hansker på hendene og rydda i virvaret og dratt i hop greiner til bål vi kunne fyre opp seinere når været gjorde det mulig, for han ville ikke det skulle se jævlig ut etter oss når framtida kom, ja så var han innom de to tømmerveltene ved elve-bredden minst to ganger hver kveld for å dytte på dem og dunke i trevirket og beregne vinkel og av-stand til vannet; om stokkene ville treffe riktig når de fór, og så gå over alt én gang til. Det var faktisk helt unødvendig, om det var meg du spurte, for det kunne jo alle se, at de stokkene ville reise rett i elva og ikke hekte seg fast i noe hinder på veien ned, og det visste nok han også. Men han greide ikke holde seg unna. Noen ganger sto han lenge og bare lukta på tømme-ret, ja pressa nesa inn mot de åpne feltene uten bark der kvaen fortsatt glinsa, og inhalerte kraftig, og jeg visste ikke om han gjorde det fordi han syntes det var godt, noe *jeg* syntes at det var, eller om nesa hans kunne lese av informasjon der inne som vi andre dø-delige ikke hadde tilgang til. Om den informasjonen i så fall var god eller dårlig, veit jeg heller ikke, men den gjorde han i hvert fall ikke mindre utålmodig.

Så regna det kraftig i to dager, og kvelden etter dro han opp veien til Franz for å snakke med han, og han ble der lenge. Da han kom ned igjen, lå jeg i overkøya og leste i lyset fra ei lita parafinlampe, for det var blitt mørkere om kvelden nå, og han kom inn på rommet og lente seg mot senga mi og sa:

– I morgen tar vi sjansen. Vi lar tømmeret dra.

Jeg skjønte uten videre av stemmen til faren min at Franz hadde ment noe annet om den saken enn han. Jeg la et bokmerke i boka og lente meg over kanten, og med armen hengende, slapp jeg boka ned på stolen ved senga og sa:

– Fint. Jeg gleder meg. Og det var sant, jeg gjorde det. Jeg gleda meg til det fysiske i det, til presset mot armene, til motstanden i stokkene og til slutt å kjenne stokkene gi etter.

– Det er bra, sa faren min. – Franz kommer ned og hjelper til. Du får sove nå og samle krefter til i morgen. Det blir ingen barnelek, det sier seg sjøl, for det blir bare oss tre, og det er mye tømmer. Nå må jeg en tur ned og tenke litt, og så kommer jeg opp om en times tid.

– Det er greit, sa jeg.

Han skulle ned til elva og sitte på en stein og glane, og det var jeg vant til, så jeg tvilte ikke på at det han sa var sant, for han gikk ofte til den steinen.

– Skal jeg slokke lampa? sa han, og jeg sa ja takk, og han bøyde seg og la hånda bak toppen av parafinlampa og blåste ned i glassrøret så flammen slokna og ble ei lita, rød stripe langs veka, og så var *den* borte òg, og det ble mørkt, men ikke helt mørkt. Jeg så den grå skogkanten gjennom vinduet og den grå himmelen over, og faren min sa god natt, Trond, ser deg i morgen, og jeg sa også god natt og ser deg i morgen, og så gikk han, og jeg snudde meg mot veggen. Før jeg sovna la jeg panna mot det grove tømmeret og snuste inn den svake duften av skog som fortsatt fantes der inne.

Jeg var oppe én gang den natta. Jeg klatra forsiktig ned fra køya, og så hverken til høyre eller venstre for ikke å bomme på døra, og så gikk jeg ut bak hytta en tur. Der sto jeg barbeint i bare underbuksa med vinden mellom trærne i høydene over meg og blyfarga skyer jeg tenkte var metta med regn og snart ville briste, men så lukka jeg øynene og løfta ansiktet og la det mot himmelen, og da kom det ingenting ned som jeg kunne kjenne. Det var bare sval luft mot huden og duften av kvae og tømmer, og duften av jord, og en fugl jeg ikke visste hva het, som holdt på i et kjerr og hoppa omkring og rasla og krasla og slapp fra seg tynne, små pipp som aldri tok slutt i det tette bladverket en meter eller to fra foten min. Det var en merkelig, ensom lyd ute i natta, men jeg visste ikke om det var fuglen jeg mente var ensom, eller om det var jeg som var det.

Da jeg kom inn igjen, lå faren min i senga og sov som han hadde sagt at han skulle. Jeg ble stående på golvet i tussmørket og se hodet hans mot puta: Det mørke håret, det korte skjegget, de lukka øynene og det stengte ansiktet hans i drømme et helt annet sted enn her sammen med meg i denne hytta. Ikke på noen måte kunne jeg nå fram til han nå. Pusten hans gikk stille og tilfreds som om han ikke hadde en bekymring i verden, og kanskje hadde han ikke det, og jeg burde ikke ha det jeg heller, men jeg var urolig og visste ikke hva jeg skulle tenke om noen ting, og om det var lett for han å puste, var det ikke det for meg. Jeg åpna munnen på vidt gap og dro lufta inn med kraftige tak både tre og fire ganger før det åpna seg i brystet, og jeg var nok sikkert et merkelig syn der jeg sto i det halvmørke rommet og peste, og så klatra jeg opp forbi faren min og la meg under dyna. Jeg sovna ikke med en gang, men ble liggende og stirre i himlinga og studere mønsteret jeg kunne skjelne så vidt og alle kvisthullene jeg mente bevegde seg fram og tilbake som bitte små dyr med usynlige bein, og jeg var stiv i kroppen først og så mjukere etter hvert som minuttene gikk, eller kanskje var det timer. Det var det ikke mulig å avgjøre, for jeg hadde ingen følelse av tida som bevegde seg eller rommet jeg lå i, alt bare seig rundt som eikene i et digert hjul hvor *jeg* var spent fast med nakken mot navet og føttene ytterst i sirkelen. Jeg ble svimmel av det og sperra øynene opp for å hindre at kvalmen skulle komme.

Da jeg våkna den neste gangen, var det flomlys i vinduskarmen og formiddag allerede, og jeg hadde sovet for lenge og var trøtt og kjei og hadde ikke lyst til å stå opp i det hele tatt.

Døra sto åpen ut til stua, og den til trammen sto åpen, og hvis jeg heiste meg opp på albuen, kunne jeg se sola skinne skrått gjennom døråpninga og inn på det blankskurte golvet. Det lukta frokost i hytta, og jeg hørte faren min snakke med Franz der ute på tunet. Det var en dempa, fredelig, nesten lat tone mellom orda de sa til hverandre, så hvis de hadde vært uenige om noe i går, var de i hvert fall ikke det lenger nå, men hadde kanskje fått et felles syn på hvor viktig denne tømmertransporten var for faren min, og at de derfor tok sjansen, og var enige om at det var det de var gode til; å ta sjanser, mens *jeg* faktisk ikke helt forsto hvorfor tømmeret ikke kunne vente en måned eller to eller gjerne til våren. Uansett sto de på tunet i solskinnet, og uten å forhaste seg la de en plan, kunne jeg høre, for hva de skulle gjøre sammen denne dagen, som de kanskje hadde gjort det så mange ganger før da jeg ikke visste om det.

Jeg la meg tilbake på puta og prøvde å tenke ut hva det var som gjorde meg så tung og så lei, men det kom ingenting; ingen setninger, ingen bilder, bare en lilla farge bak øyelokkene og en tørr og sår følelse i halsen, og så tenkte jeg på det oppstabla tømmeret ved elva som skulle av gårde hvert øyeblikk nå, og det ville jeg være med på. Jeg ville se de stokkene treffe vannet, én etter én i et ras, og se det bli tomt på plassen ved bredden, og duften av mat fra kjøkkenkroken gjorde meg plutselig hul i magen, og jeg ropte ut gjennom dørene:

– Har dere spist frokost?

De to der ute begynte å le, og det var Franz som svarte:

– Nei, vi går bare her og slenger og venter på deg.

– Stakkars dere, ropte jeg tilbake, – da kommer jeg nå, hvis det er mat å få, og jeg bestemte at jeg egentlig var i kjempegodt humør uansett hva, og lett som ei fjær. Jeg tok meg kraftig sammen og hoppa ut av senga som jeg pleide, med hendene i et grep rundt sengevangen, og det var sats med rompa, og beina i en sving helt fra overkøya og ned på golvet der jeg landa med et telemarksnedslag. Men denne gangen greide ikke låra og leggene stoppe støtet, og det høyre kneet smalt i golvborda, og jeg datt over på sida. Det gjorde så vondt i kneet at jeg holdt på å skrike. De to foran hytta hørte visst smellet, for faren min ropte:

– Går det bra med deg der inne? men han ble heldigvis stående på utsida med Franz. Jeg kneip øynene sammen og ropte:

– Jada. Alt går bra her inne, enda det kjentes ikke som det gjorde det. Jeg kom meg opp på stolen ved senga og satt der og holdt rundt kneet med begge hender. Det virka ikke som noe var ødelagt når jeg klemte omkring det, men smerten gjorde meg oppgitt og litt forvirra og susete i hodet, og det var vanskelig å få buksa på, for jeg måtte holde det høyre beinet stivt, og det var så vidt jeg ikke ga opp og klatra opp i senga igjen, om det hadde vært mulig. Men så fikk jeg buksa på til slutt, og jeg fikk på resten av klærne og halta ut på stua og satte meg med beinet rett ut under bordet før faren min og Franz var ferdige med å snakke og kom inn.

Da vi hadde spist en sein frokost, tok de to voksne oppvasken med én gang, for faren min ville ha blanke ark når han kom tilbake og var sliten, sa han, og ikke gå rett inn til søl og rot, og jeg skjønte ikke hvorfor, men de lot meg bli sittende enda det vanligvis var min plikt å delta i oppvasken når søstera mi ikke var med fra Oslo. Det var uansett ikke meg imot å få slippe akkurat da.

De sto med ryggene mot bordet og snakka og tulla og klirra med kopper og glass, og Franz tok en sang han hadde lært av faren sin om jerven som hang i treets topp. Det viste seg at faren min også kunne den sangen og hadde lært den av faren sin igjen, og de gaula høyt i kor og vifta i takt med koppehåndklærne og oppvaskkosten, og jeg *så* den jerven for meg der den hjelpeløst dingla i toppen av ei gran, og jeg benytta anledningen da og la hodet mot hendene på bordplata foran meg, for det føltes så tungt og så vanskelig å bære, og kanskje sovna jeg litt der jeg satt. Men da faren min sa:

– Nå kan vi ikke tulle og tøyse lenger, faktisk, nå må vi bare sette i gang, ikke sant, Trond; da hørte jeg han godt, og svarte ned i mitt eget sikkel:

– Jo, det er akkurat det vi må, og jeg løfta hodet og tørka meg rundt munnen, og kjente meg plutselig ikke så verst.

Jeg gikk sist over tunet mot skjulet og prøvde å halte så lite som mulig, og i boden tok jeg ei tømmerhake og en taukveil over skulderen, og faren min tok òg ei tømmerhake og to økser og en slirekniv, og Franz tok et spett og ei nypussa sag, og alt dette hadde vi i den boden og mer til: Flere sager og hammere og to ljåer og tvinger og to høvler og stemjern i forskjellige størrelser, og forskjellige tenger hang fra spikre på rad langs veggen, og det var vinkeljern og en god del verktøy jeg ikke visste hva skulle brukes til, for det var en velutstyrt bod som faren min hadde der i skjulet, og han elska de redskapene og pussa dem og gnikka dem og smurte dem inn med forskjellige oljer så de kunne lukte godt og vare lenge, og hver eneste ting hadde sin helt spesielle plass hvor de hang eller sto og alltid skulle være klare til bruk.

Faren min lukka døra til skjulet og satte pinnen i låsen, og så gikk vi tre på rad og bar redskapen under armene og på skuldrene ned stien mot elva og de to tømmerveltene med faren min først og jeg som den siste i rekka. Og sola skinte og blinka i elva som gikk høy og bulende etter de siste dagenes skybrudd, og det kunne vært et perfekt bilde av den sommeren og det vi holdt på med sammen, om det ikke var for at jeg fortsatt halta stygt på det ene beinet, og det fordi det inni meg, mente jeg, ikke langt fra der hvor sjela satt, fantes noe som var slitent og trøtt og gjorde at leggene mine og låra plutselig ikke hadde greid å bære så mye som de burde ha gjort.

Da vi kom ned til bredden, la vi redskapene fra oss på steinene der, og faren min og Franz gikk rundt den første velta og stilte seg ved sida av hverandre med ryggene mot den glitrende, hissige elva, og med hodene på skakke og hendene mot hoftene studerte de tømmeret der det tungt lå stabla opp imot to loddrette, kraftige sperrer. Sperrene ble holdt på plass av skråspente stokker pressa godt ned i bakken, og i prinsippet skulle det fungere sånn, at når du dro skråstokkene vekk, falt sperrene rett fram, og tømmerstabelen raste og alle stokkene rulla fram på sperrene der de lå som skinner og videre ned i vannet hvis avstanden og hellinga var riktig. Og alt var riktig, mente faren min og Franz. Det de gjorde nå var å gå ned på kne og grave vekk grus og stein rundt enden av skråstokkene for lettere å kunne dra dem vekk. Da dét var gjort, tok de hvert sitt tau og festa rundt hver sin stokk og trakk seg godt ut på sidene av velta med enden av tauet i hånda, for de ville ikke bli stående i veien når tømmeret reiste. Det var mange måter å gjøre dette på, og denne varianten var Franz sitt eget patent. Han hadde ikke noen gang fått alt tømmeret ut i vannet i ett slipp, sa han, og han trudde ikke han fikk det til nå heller, for det måtte en helt spesiell helling til i så fall, og dermed en stor tyngde, og noen helt inn i helvete sterke stag og sperrer var nødvendige og gjerne en del flaks i tillegg, og da ble det jo ganske risikabelt. Men det er klart; den som er makelig anlagt må ta store sjanser i blant, sa Franz.

Nå stramma de tauene fra hver sin kant og satte støvlene godt i bakken, og så telte de høyt i kor; fem, fire, tre, to, én, nå!, og de dro samtidig alt hva de kunne så det smalt i tauet og blodårene sto ut i panna på dem begge og ansiktsfargen mørkna. Ikke noen ting skjedde. Stokkene sto der de sto. Franz telte ned en gang til og ropte: Nå! Og de dro igjen og stønna i takt, og ingenting bevegde seg unntatt trekkene i ansiktet til de to mennene som beit tennene sammen og kneip øynene til streker. Men det hjalp ikke hva slags grimaser de lagde eller hvor hardt de dro. Stokkene sto.

– Faen, sa faren min.

– Svarte helvete, sa Franz.

– Vi må felle dem med øks, sa faren min.

– Det er risikabelt, sa Franz, – vi kan få hele tømmerfaen i hue.

– Jeg veit det, sa faren min. Og så gikk de bort og plukka hver si øks opp fra haugen med redskap og tilbake igjen på framsida av velta og gøyv løs på stokkestagene med armer og kropper som strutta av irritasjon over at planen ikke lyktes i første forsøk, for de var bortskjemte på den måten, og Franz ropte «svarte helvete» igjen, og så sa han:

– La oss hogge i takt.

– Det gjør vi, sa faren min, og de skifta rytme og falt inn sammen, og lyden av øksehoggene var som ett skarpt smell av gangen. Jeg kunne se at de likte å holde på sånn, for plutselig smilte Franz og lo, og faren min smilte, og jeg ønska at jeg var som dem, at jeg hadde en venn som Franz jeg kunne svinge øksa med og planlegge med og bruke krefter og le og hogge sammen med i takt ved en elv som nettopp denne, som var den samme bestandig og likevel ny, som nå, men den eneste mulige vennen var søkk borte, og ingen snakka om han lenger. Jeg hadde jo faren min, men det var ikke det samme. Han var blitt en mann med et hemmelig liv bak det *jeg* kjente til, og kanskje enda ett bak det igjen, og jeg visste ikke lenger om han var til å stole på.

Nå økte han takta ved velta mens Franz fulgte opp, og så begynte faren min også å le og svingte øksa med ekstra tyngde, og plutselig hørte jeg det knake fra der hvor den øksa traff. Han ropte:

– Løp, for faen! og tverrvendte og kasta seg ut til sida. Franz lo høyt og gjorde det samme. Begge stagene brakk i tett rekkefølge. De folda seg sammen, og sperrene falt perfekt framover som planen var, og da raste velta med en lyd som fra hundre tunge bjeller, det virkelig sang over vannet og inn gjennom skogen, og i hvert fall halvparten av stokkene tumla i vei og nesten spratt ut i elva. Spruten sto i et eneste kok, det var et imponerende virvar av tømmer og vann, og jeg var glad jeg kunne være der og se det.

Men det lå mye tømmer igjen, og alt skulle av sted. Vi satte i gang alle tre med hver vår tømmerhake, og vi halte og dytta og dro, og noen ganger måtte spettet til for å bende stokkene fra hverandre når de ble liggende i klem, og noen ganger reipet for å hale dem løs fra en floke, og én etter én ga de etter. Vi rulla dem to mann av gangen med hakene ut i elva, og så plaska det, og de dreiv plutselig sakte og verdig med strømmen gjennom dalen og skulle til Sverige.

Jeg kjente jeg ble tidlig sliten. Den følelsen jeg venta

på som skulle løfte meg og ruse meg og gi meg det ekstra i arbeidet og svinge meg lett fra grep til grep, tok aldri tak i musklene i beina eller i armene eller noe annet sted sånn som jeg hadde håpt at den skulle. I stedet var jeg tom og tung og måtte konsentrere meg og nøye ta én ting av gangen for å hindre at de andre skulle se hvilken tilstand jeg var i. Det verka i kneet, og jeg var letta da faren min endelig ropte at nå var det tid for en pause. Det meste av velta var ekspedert ut i elva, bare noe smårusk sto igjen, men vi hadde jo éi til som skulle av gårde. Jeg krøyp bort til furua med trekorset på stammen som Franz hadde spikra opp en vinternatt i 1944 fordi en mann fra Oslo med altfor vide og tynne bukser var blitt drept der, av tyske kuler, og jeg la meg i lyngen under korset med hodet mot en av de store røttene og sovna med én gang.

Da jeg våkna sto mora til Jon på kne over meg med sol bak hodet og den ene hånda i håret mitt, og hun hadde bomullskjolen på med de blå blomstene og et stort alvor i ansiktet, og hun spurte om jeg var sulten. I et lite glimt var jeg mannen med de vide buksene som ikke var død likevel, men som kom til seg sjøl og så opp på henne som fortsatt sto ved hans side, men så glei han bort og forsvant. Jeg glippa med øynene og kjente at jeg rødma og visste med én gang at det var fordi det var henne jeg hadde drømt om, og jeg huska ikke hva, men det hadde vært en intens og fremmed varme i den drømmen jeg ikke kunne vedkjenne meg nå med blikket hennes mot mitt. Jeg nikka og prøvde å smile og begynte å heise meg opp på den ene armen.
– Jeg kommer, sa jeg, og hun sa:

– Fint, kom fort, da, det er mat nå, og hun smilte så uventa at jeg måtte se en annen vei, se ut over vannet som duva forbi bak ryggen hennes til den andre bredden der plutselig to av hestene til Barkald sto øverst bak gjerdet på enga og glodde over til oss med øra strittende i været og stampende hover, som to fantomhester med varsel om kommende kriser.

Hun reiste seg fra knestående rett opp i én glidende bevegelse som om dét var det enkleste i verden og gikk bort til det knitrende bålet Franz eller faren min hadde fått i gang på den tomme plassen hvor den første velta hadde vært. Det lukta stekt flesk og kaffe fra plassen, og røyk lukta det, og tømmer og lyng og solvarme steiner og en helt spesiell duft jeg ikke hadde kjent noe annet sted enn ved denne elva, som jeg ikke visste hva kom av, men som kanskje var en kombinasjon av alt det som fantes nettopp her; en fellesnevner, en sum, og hvis jeg reiste herfra og ikke kom tilbake, ville jeg aldri få kjenne den igjen.

Litt bortafor bålet satt Lars på en stein ved vannet. I hånda hadde han en bunt grove kvister, og han brøyt dem av i like lengder og la dem i en stabel helt nede ved elva på ei grashelling ved sida av steinen, og i forkant av stabelen hadde han stukket ned to spisse kvister som sperrer. Han la alt opp i mot dem. Det så veldig fint ut i miniatyr, som ei ordentlig velte. Jeg gikk bort til han og satte meg på huk. Beinet føltes mye bedre nå etter den lille blunden, så da ble jeg nok ikke invalid. Jeg sa:

– Den velta ser ordentlig fin ut.

– Det er bare noen pinner, svarte han, og stemmen hans var lav og alvorlig, og han snudde seg ikke.

– Joa, sa jeg, – det er vel det. Men den er fin likevel. Som en ekte miniatyr.

– Jeg veit ikke hva minatyr er, sa Lars lavt.

Jeg tenkte meg om. Det vissste ikke jeg heller, egentlig, men jeg sa:

– Det er vel når noe som er veldig lite er helt makan til noe som er stort. Bare at det er lite, altså. Skjønner du?

– Sss. Det er jo bare noen pinner.

– ok, greit, sa jeg. – Det er bare noen pinner. Skal du ikke ha noe å spise?

Han rista på hodet. – Nei, sa han, så jeg så vidt kunne høre det, – jeg skal ikke ha noe å spise. Han sa *spise* sånn som jeg sa spise, og ikke *ete* som han ellers ville gjort.

– Nei vel, sa jeg. – Det er greit det òg. Det er jo faen ikke tvang. Jeg reiste meg forsiktig opp med tyngden på det venstre beinet.

– *Jeg* er i hvert fall sulten, sa jeg og snudde meg fra han og gikk et par skritt, og da hørte jeg han si:

– Jeg skøyt broren min, jeg.

Jeg vendte meg om og tok de to skrittene tilbake. Jeg var litt tørr i munnen. Jeg nesten hviska:

– Jeg veit det. Men det var ikke din skyld. Du visste ikke at børsa var ladd.

– Nei, sa han, – jeg visste ikke det.

– Det var ei ulykke.

– Ja. Det var ei ulykke.

– Er du sikker på at du ikke skal ha noe å spise?

– Ja, sa han. – Jeg sitter her.

– Det er greit, det, sa jeg, – du kan jo komme om ei stund, når du kjenner du er sulten, og jeg så på håret hans og det lille som syntes av ansiktet, han var jo for faen bare ti år, og ingenting bevegde seg, og det var ikke mer han skulle si.

Jeg gikk opp til bålet der faren min satt helt ubesværa med ryggen mot elva ved sida av mora til Jon på en av stokkene som lå der fortsatt. Ikke tett inntil henne som på brygga den morgenen, men ganske nær likevel, og de virka så trygge de ryggene og nesten sjølgode, og det irriterte meg plutselig voldsomt. Franz satt aleine midt imot dem på en stubbe med en blikktallerken i hånda, jeg så det skjeggete ansiktet hans gjennom bålet og den gjennomsiktige røyken, og de hadde brutt brødet allerede.

– Kom hit, Trond, og sett deg her, sa Franz med litt anstrengt stemme og klappa på en stubbe inntil *sin* stubbe, – du trenger mat nå. Det er mye arbeid igjen. Vi må ete, skal vi orke.

Men jeg satte meg ikke på den stubben. Jeg gjorde noe jeg syntes var uhørt da, og det syns jeg fortsatt, for jeg kom raskt opp bak faren min og mora til Jon og slengte det ene beinet over stammen de satt på og trengte meg uten videre ned midt imellom dem. Det var egentlig ikke plass, så jeg skrubba meg hardt mot kroppene deres og særlig mot hennes som var mjuk mot mine kantete og uvennlige bevegelser, og jeg kjente jeg ble lei meg av å gjøre det, men jeg gjorde det likevel, og hun veik unna, og faren min satt stiv som en planke. Jeg sa:

– Her var det fint å sitte.

– Du syns det? sa faren min.

– Ja visst, sa jeg. – I så godt selskap. Jeg så rett på ansiktet til Franz og holdt øynene der, og han begynte å flakke med blikket og stirra til slutt ned i tallerkenen sin med munnen i en merkelig grimase, og det var så vidt han tygde. Jeg tok en tallerken til meg sjøl og en gaffel, og jeg lente meg fram og begynte å forsyne meg fra steikepanna som var flatt og fint plassert på en stein i utkanten av bålet.

– Dette ser jamen godt ut, sa jeg og lo og hørte at stemmen min hadde en skingrende klang og kom mye høyere ut enn jeg hadde tenkt at den skulle.

14

Jeg kaver meg opp av drømmen mot lyset, og jeg *ser* lyset over meg. Det er som å være under vann; den blåskimrende overflata der oppe, så nær og likevel så bortafor rekkevidde, for ingenting går fort i de lilla lagene her nede, og jeg har vært her før, men nå veit jeg ikke om jeg når opp i tide. Jeg strekker armene det jeg makter, svimmel av utmattelse og kjenner plutselig kald luft mot håndflatene, og jeg bruker beina og skyter fart og treffer den øverste hinna med ansiktet og kan åpne munnen og dra lufta inn. Så åpner jeg øynene, og da er det ikke lyst, men like mørkt som nede i djupet. Skuffelsen smaker aske i munnen, det var ikke hit jeg ville. Jeg trekker pusten hardt og kniper leppene sammen og skal til å dykke tilbake, og da forstår jeg at det er i senga mi jeg ligger, under dyna, i dette kammerset ved sida av kjøkkenet, at det er tidlig morgen og fortsatt bekmørkt, at jeg ikke trenger holde pusten mer. Jeg slipper den ut og ler av lettelse ned i puta, og så begynner jeg å gråte før jeg rekker å forstå hvorfor. Dét er noe nytt, jeg kan ikke huske sist jeg gråt, og det varer ei stund, og jeg tenker; hvis jeg en morgen ikke når opp til den overflata, betyr det da at jeg dør?

Men det er ikke derfor jeg gråter. Jeg kunne gått ut

og lagt meg i snøen til kulda gjorde meg nummen for å komme så tett på som mulig, for å finne ut hvordan *det* kjennes. Jeg kunne lett ha forberedt meg. Men det er jo ikke døden jeg frykter. Jeg snur meg mot det lille nattbordet og ser på den lysende urskiva. Klokka er seks. Det er tida mi. Jeg skal i gang nå. Jeg feier dyna til side og svinger meg opp. Det går bra med ryggen denne gangen, og jeg sitter på kanten av senga med føttene mot ei fillerye jeg har lagt på golvet for at sjokket i fotsålene ikke skal bli for stort i den kalde årstida. På sikt må jeg legge nytt golv og isolere. Til våren kanskje, hvis det er penger nok. Sjølsagt er det penger nok. Når skal jeg slutte å bekymre meg for det? Jeg tenner lampa ved senga. Jeg tar etter buksa som henger over stolen og får hånda på den og griper fatt, men så stopper jeg der. Jeg veit ikke. Jeg er visst ikke klar. Det er ting jeg skal gjøre. Jeg skal bytte flere bord i trammen før noen tråkker igjennom og gjør skade på beina, det var det jeg hadde tenkt å gjøre i dag. Jeg har kjøpt impregnerte materialer og tre toms spiker, det burde holde, jeg syns nok fire toms blir for grovt, og så er det arbeidet med å kløyve kubbene av tørrgrana til høvelige størrelser, det har jeg ennå ikke gjort og bør ikke vente med for lenge, det sier seg jo sjøl, nå som vinteren kanskje kommer for fullt. Sånn ser det i hvert fall ut, og så kommer Lars opp seinere, og da skal vi dra vekk den store rota med kjetting og bil. Det blir egentlig morsomt, trur jeg, å få til det. Jeg ser ut av vinduet. Det har slutta å snø. Jeg ser svakt konturene av brøytekanter opp bakken. Kanskje blir det ikke så lett å jobbe ute i dag.

Jeg slipper buksa og legger meg ned igjen på puta.

Det var noe med den drømmen, den var ikke bra. Jeg veit jeg kan finne ut av den hvis jeg vil, jeg er god til det der; å rekonstruere, jeg var det før i hvert fall, men jeg veit ikke om jeg vil. Det var en erotisk drøm, jeg har dem ofte, jeg innrømmer det, de er jo ikke forbeholdt tenåringer. Mora til Jon var med i denne, som hun var den sommeren 1948, og jeg som jeg er nå, sekstisju år gammel og drøye femti år seinere, og kanskje faren min også var der et sted, i bakgrunnen, i skyggene, det kjennes sånn, og det knyter seg hardt i magen bare jeg så vidt er borti drømmen. Jeg tror jeg må slippe den og la den falle tilbake og legge seg til ro der nede på bunnen blant alle de andre jeg har hatt som jeg ikke kan røre. Den delen av livet er over da jeg kunne bruke drømmene til noe. Jeg skal ikke forandre noen ting mer, jeg skal være her. Hvis det går. Det er det som er planen.

Så jeg står opp. Kvart over seks. Lyra reiser seg fra plassen sin ved ovnen og går bort til kjøkkendøra og venter. Hun snur hodet og ser på meg, og det er en tillit i det blikket jeg ikke veit om jeg fortjener. Men kanskje det ikke dreier seg om det, å fortjene eller ikke, kanskje *fins* den bare der, den tilliten, uavhengig av hvem du er og hva du har gjort, og skal hverken legges i den ene eller den andre vektskåla. Det hadde vært fint. Good dog, Lyra, tenker jeg, good dog. Jeg åpner døra og slipper henne gjennom til gangen og videre ut på trammen. Jeg tenner utelampa fra innsida og følger henne ut og blir stående og se. Lyra hopper rett ut i snøen som ligger gulopplyst i store fonner unntatt der Åslien har måkt så fint på tunet i en stor sirkel og har unngått bilen min med noen små centimeter og dytta den store rota fram og tilbake med skjæret, antakelig fordi den lå i veien hele tida, og til slutt plassert den ut på sida der den ligger nå; klar og tilgjengelig for seinere transporter. Han har til og med måkt ei stripe langs den ene husveggen der jeg pleier å gå rundt for å slå lens mot skogkanten når jeg ikke vil belaste den lille utedoen for mye. Kanskje er det et forslag om å sette bilen min der så den er ute av veien for traktoren i framtida, eller har han utedo sjøl?

Jeg lar Lyra bli på tunet for å snuse omkring aleine i den nye, hvite verden og lukker døra og går inn for å fyre opp i ovnen. Ingen problemer med det i dag, snart knitrer det sprøtt og betryggende bak de svarte jernplatene, og jeg tenner ikke taklyset med én gang, men holder det skumt i rommet så de rødgule flammene i ovnen gir et tydelig og flakkende skjær mot golvet og veggene. Det synet tar pusten min ned og gjør meg rolig som det sikkert har gjort mennesker rolige i tusenvis av år: La ulvene hyle, her ved bålet er det trygt.

Jeg dekker på til frokost og lar fortsatt lyset være av. Så slipper jeg Lyra inn i varmen for å la henne ligge ved ovnen før vi skal ut i lag. Jeg setter meg ved bordet og ser ut av vinduet. Jeg har slukka tunlampa igjen så bare tingenes egne overflater skal skinne, men det er for tidlig ennå for dagslyset, bare en svak anelse av rosa spinn over trærne mot sjøen, utydelige streker som fra en fargeblyant med for hard kjerne, og likevel er allting tydeligere enn før, på grunn av snøen; et klart skille mellom himmel og jord, og *det* er noe nytt denne høsten. Og så spiser jeg sakte, og tenker ikke mer på drømmen, og når jeg er ferdig, rydder jeg av bordet og går ut i gangen og tar på meg høye støvler og den gamle, varme losjakka og lue med øreklaffer og votter, og det ullskjerfet jeg har hatt rundt halsen i hvert fall i tjue år, som noen strikka til meg den gangen jeg var enslig, fraskilt mann, og jeg kan ikke komme på nå hva hun het, men jeg husker hendene hennes fra tida vi var sammen; de var aldri stille. Men *ellers* var hun stille, og diskré i sitt vesen; bare klikkinga fra strikkepinnene kunne høres gjennom tausheten, og det hele ble litt for lavmælt for meg, og forholdet rant stille og umerkelig ut i ingenting.

Lyra står logrende klar foran døra, og jeg plukker lommelykta ned fra hylla, og skrur den opp i enden og bytter de gamle batteriene med nye jeg har liggende klar på den samme hylla, og så går vi ut. Jeg først, og hun etter når hun får beskjed. Det er jo jeg som er sjefen, men hun venter gladelig, for hun kan systemet vårt og smiler som bare en hund kan smile og hopper sikkert én meter i stille høyde og rett ut over hele trappa når jeg lavt sier: kom! Hun lander nesten i fanget mitt, stående. Hun har beholdt valpen i seg.

Jeg tenner lommelykta, og vi begynner å gå ned bakken der Åslien har måkt med skarpe brøytekanter i en fin kurve bort til brua over den lille elva og hytta til Lars på den andre sida og helt sikkert fram til riksveien også mellom grantrærne, og så stopper vi, og jeg retter lykta inn mot stien vi pleier å følge langs strømmen til innsjøen. Det er mye snø der nå, og jeg veit ikke om jeg vil orke å vasse inn den veien. Men da er det bare én annen retning å gå, og det er rett fram. Der har vi aldri gått før sammen; den siste distansen fram til storveien og bort langs den, for da må jeg ha Lyra i bånd på grunn av bilene, og det er ikke særlig tilfredsstillende for noen av oss. Jeg kunne likså godt blitt boende i byen da, og tråkka opp og ned de samme triste gatene jeg gikk langs i tre år og tenkte at nå må det snart være slutt, nå må noe skje, ellers er jeg ferdig. Så da tenker jeg; hvorfor skulle ikke *jeg* bli sliten, hva er det ellers jeg skal med livet mitt som jeg må spare kreftene til? Og jeg skrever over brøytekanten og de første fonnene og begynner å gå med lykta tent, og noen steder er stien blåst rein for snø og kjennes hard og fin å gå på, mens andre steder ligger snøen i høye driver, og det var virkelig smart å ta på de høye støvlene, jeg løfter dem høyt og slenger ett bein før det andre forover, det høyre først og lar det synke, og så det venstre beinet og lar det synke, og så den samme bevegelsen om igjen, og på den måten kaver jeg meg fram i de verste partiene. Over meg klarner det opp, det er synlige stjerner på himmelen, litt bleike nå mot slutten av natta, men snø blir det ikke mer av for denne gangen. Når dagslyset kommer for alvor, vil sola skinne, om ikke så hikstende sterkt, ikke så vibrerende hett som en dag det plutselig faller meg inn å tenke tilbake på nå, en dag seint i juni 1945, da søstera mi og jeg sto ved vinduet i annen etasje med utsikt til indre Oslofjord og til Nesoddlandet og Bunnefjorden, og det var sommer og et blendende lys over vannet og hysteriske båter i det frigjorte Norge som sveipte for fulle seil i sikksakk mønster fra strand til strand og nesten gikk over stag av iver og aldri ble trøtte, og de sang, de som var om bord, og skamma seg ikke, og det var jo fint for dem.

Men jeg var trøtt av alt sammen allerede, utslitt av å vente, jeg hadde sett de folka så mange ganger, i Studenterlunden i byen og på Østmarksetra, på Ingierstrand bad og ved Fagerstrand når vi dro ut dit i en båt vi lånte og mange flere steder der de hoia og skrålte og aldri ville innse at festen var slutt. Derfor var det ikke ut over fjorden vi speida, det kom ikke noe fra den kanten som jeg gadd vente på. Det vi gjorde den dagen, søstera mi og jeg, var å stirre ned veien der faren min kom sakte gående opp den bratte Nielsenbakken fra Ljan stasjon, på vei hjem fra Sverige etter krigen, veldig forsinka, veldig forsiktig, i en slitt, grå dress, med en grå sekk på ryggen der noe stakk opp som så ut som ei fiskestang, og han dro ikke på beinet, han halta ikke, han var ikke skada som vi kunne se, men sakte gikk det likevel, som inne i en stor stillhet, i et vakuum, og hvorfor vi sto der ved vinduet og ikke hadde vært nede på stasjonen i god tid før toget kom eller var ute i veien for å gå han i møte, det kan jeg ikke huske i dag. Kanskje var vi sjenerte. Jeg veit i hvert fall at *jeg* må ha vært det, som jeg var det bestandig, og mora mi sto i døråpninga i første etasje og beit seg i leppa og vrei det klissvåte lommetørkleet i hendene og greide ikke holde føttene i ro. Hun trippa som om hun måtte på do, og så klarte hun ikke holde seg lenger og dro kroppen løs fra dørkarmen og løp ned veien, og med årvåkne vitner i flere hager kasta hun seg mot kroppen til faren min. Det var jo det hun skulle, det var det hun måtte, og hun var fortsatt ung den gangen og lett på foten, men den jeg husker henne som, er den hun ble seinere: Bitter, merka, mye tyngre.

Faren min må ha venta en sånn mottakelse, jeg kan ikke forstå annet. Vi hadde ikke sett han på åtte måneder og hadde ikke hørt ett ord inntil to dager før, så vi visste at han kom. Søstera mi løp skramlende ned trappa og ut på veien der hun kopierte hver eneste bevegelse mora mi gjorde til sjenanse for meg som bare sakte kom etter; det var ikke lett å la seg rive med, det var ikke sånn jeg var. Jeg stoppa ved postkassa og lente meg mot den og så på de to som sto midt i veien og klengte seg til faren min. Over skuldrene deres så jeg blikket hans; forvirra først og hjelpeløst, og så søkte det mitt, og mitt søkte hans. Jeg nikka forsiktig. Han nikka tilbake og smilte svakt, et smil ment bare for meg, et hemmelig smil, og jeg forsto at fra nå av var det oss to det gjaldt, at vi hadde en pakt. Og enda så lenge han hadde vært borte, kjentes han nærmere den dagen enn før krigen starta. Jeg var tolv år, og i løpet av et øyekast skifta livet mitt vekt fra ett punkt til et annet, fra henne til *han*, og satte ny kurs.

Men jeg ble kanskje for ivrig.

Jeg peser meg helt bort til benken som står nedsnødd ved bredden av vannet, eller Svanesjøen, som jeg kaller den nå i mitt stille sinn, som et barn ville gjort det, og Svanesjøen ligger åpen og svart i lyset fra lommelykta. Isen har ikke lagt seg ennå, *så* kaldt har det ikke vært. Ingen svaner å se heller, på denne tida. De holder seg nok inne i det tette sivet på tørt land så lenge natta varer, med de lange halsene som fjærkledde sløyfer i hvite buer, og hodet under vingen, jeg kan se det for meg, og de svømmer ikke fram før lyset kommer for å beite på grunna langs bredden mens vannet fortsatt ligger åpent. Hva de gjør når isen legger seg, har jeg faktisk ikke tenkt over, hvorfor flyr de ikke sørover til isfrie sjøer, skal de bli her til våren? Er det svaner i Norge om vinteren? Jeg må finne ut av det.

Med armen måker jeg snøen av benken, gjør store, runde bevegelser og børster med vottene til alt er borte og trekker losjakka godt ned over rompa og setter meg. Lyra pruster i snøen og baser lykkelig, og ett sted kaster hun seg ned og ruller flere ganger fram og tilbake med beina i været og vrikker og vrir ryggen mot snøen med stor fryd for å trekke inn i pelsen duften av den som har vært her før. En rev, kanskje. Da må hun i så fall vaskes når vi kommer hjem, for det er ikke første gangen det skjer, og jeg veit hvordan det lukter når vi er inne på kjøkkenet. Men ennå er det mørkt, og jeg kan sitte her ved Svanesjøen og tenke hva jeg vil.

15

Jeg går tilbake opp bakken til huset mitt. Dagslyset kommer for fullt i rødt og gult, temperaturen stiger, jeg kjenner det mot ansiktet, og jeg ser ikke bort fra at det meste av snøen vil smelte, kanskje i løpet av bare denne dagen. Uansett hva jeg har tenkt tidligere, er dét en skuffelse akkurat nå.

Det står en bil på tunet ved sida av min egen. Jeg ser den godt fra nede i hellinga, det er en hvit Mitsubishi Spacewagon, omtrent som den jeg lurte på om jeg sjøl burde skaffe meg fordi den hadde et robust utseende og dermed sto til stedet jeg hadde kjøpt og skulle flytte til, og det var sånn jeg oppfatta hele situasjonen den gangen, da jeg først hadde bestemt meg; som litt robust, og jeg likte det, jeg følte meg litt robust sjøl, etter tre år i en korridor av glass der den minste bevegelse fikk alt til å krakelere, og den første skjorta jeg falt for etter flyttinga, var en svart og rødrutete, tjukk flanellskjorte av en type jeg ikke hadde brukt siden femtitallet.

Foran den hvite Mitsubishien står en person, ei dame, kan det se ut som, i mørk kåpe, uten noe på hodet, og håret er lyst og krøllete av naturlige eller mer tekniske årsaker, og hun har ikke slått av tenninga, for jeg ser eksosen stige stille og hvit mot de mørkere trærne bak tunet. Hun står rolig og venter med den ene hånda mot panna eller i håret og ser ned langs veien som jeg kommer opp, og det er noe med den skikkelsen, jeg har sett den før, og så får Lyra øye på henne og kaster seg fram og stormløper i forveien. Jeg har ikke hørt noen bil komme, og ikke la jeg merke til spora i snøen da jeg kom ut på veien fra stien, men så hadde jeg ikke venta noen bil heller, ikke på denne tida av døgnet. Klokka kan ikke være mer enn åtte. Jeg ser etter på armbåndsuret, og det viser halv ni. Javel.

Det er dattera mi som står der. Den eldste av to. Hun heter Ellen. Hun har tent en sigarett og holder den som hun alltid har holdt den, med strake fingre vekk fra kroppen som om hun akkurat nå skulle gi den til en annen, eller hun lot som den ikke var hennes. Bare det ville gjort at jeg kjente henne igjen. Jeg regner fort ut at hun må være 39 år nå. Hun er fortsatt ei pen dame. Jeg trur ikke det er etter meg, men mora hennes var jo pen. Jeg har ikke sett Ellen på et halvt år, minst, og har ikke snakka med henne siden jeg flytta, eller godt før det, faktisk. For å være ærlig har jeg ikke tenkt så mye på henne, eller på søstera hennes for den del. Det har vært så mange andre ting. Jeg kommer helt opp bakken, og Lyra står foran Ellen og logrer og får klapp på hodet, og de to kjenner hverandre ikke, men hun er glad i hunder, og de gir henne tillit tilbake med én gang. Sånn har det vært siden hun var lita. Så vidt jeg husker hadde hun en hund sjøl da jeg var hjemme hos henne sist. En brun hund. Det er alt som har festa seg. Det er jo ei stund siden nå. Jeg stopper og smiler så godt jeg kan, og hun retter seg opp og ser på meg.

– Er det deg, sier jeg.

– Ja, det er det. Det var vel en overraskelse.

– Jeg kan ikke nekte for det, sier jeg. – Du er tidlig ute.

Hun smiler et slags halvsmil som sakte svinner og tar et trekk av sigaretten, blåser sakte ut igjen og holder den vekk fra kroppen med en nesten strak arm. Hun smiler ikke lenger. Det bekymrer meg litt. Hun sier:

– Tidlig? Det er kanskje det. Jeg sov så elendig uansett, jeg kunne likså godt dra tidlig. Jeg begynte å kjøre i sjutida, da de som skulle av gårde var ute av huset. Jeg har gitt meg sjøl fri i dag, det bestemte jeg for lenge siden. Det tok ikke mer enn en drøy time, viste det seg, å kjøre ut hit. Jeg var forberedt på mer. Det føltes rart egentlig, at det ikke var lenger. Jeg kom nettopp nå. For et kvarter siden.

– Jeg hørte ikke bilen, sier jeg. – Jeg var inne i skogen, der nede mot sjøen. Der var det bra med snø. Jeg snur meg og peker, og før jeg har snudd meg tilbake har hun stumpa sigaretten på tunet mitt og kommet de to, tre skrittene bort og lagt armene rundt halsen min og gitt meg en klem. Hun lukter godt og har den samme høyden som før. Det er ikke så rart, du vokser ikke mye mellom 30 og 40, men det var ei tid jeg var ute og reiste det meste av året, fram og tilbake, fram og tilbake fra alle mulige steder i Norge, og begge jentene hadde vokst mellom hver gang jeg var hjemme, eller sånn så det ut for meg, og de satt så stille ved sida av hverandre i sofaen, og jeg veit at de stirra mot døra der jeg skulle komme inn, og det gjorde meg forvirra, kan jeg huske, og ille berørt i blant, når jeg til slutt *kom* inn og så dem sitte der, sjenerte og fulle av forventning. Jeg er litt ille berørt nå også, for hun klemmer meg hardt og sier:

– Hei, faren min. Det var godt å se deg.

– Hei, jenta mi, i like måte, sier jeg, og hun slipper ikke, men blir stående sånn og sier veldig lavt inn mot halsen min:

– Jeg måtte ringe til alle kommuner i ti mils omkrets og flere til for å finne ut hvor du bodde. Jeg har holdt på i ukevis. Du har jo ikke telefon engang.

– Nei, jeg har visst ikke det.

– Nei, du *har* visst ikke det. Faen heller, sier hun, og slår en knyttneve flere ganger mot ryggen min øverst, og ikke så løst heller. Jeg sier:

– Hei, hei, husk jeg er gammal mann, og det kan virke som hun gråter da, men sikker er jeg ikke. I alle fall klemmer hun så hardt rundt halsen min at det blir vanskelig å puste, og jeg skyver henne ikke fra meg, bare holder lufta nede inntil videre og legger armene rundt henne, litt vel forsiktig kanskje, og venter sånn til hun slipper taket, og da lar jeg hendene synke og tar ett skritt tilbake og puster ut.

– Du kan vel slå av den tenninga nå, sier jeg og hiver litt etter været og nikker mot Mitsubishien som står og brummer lavt. De første solstrålene blinker i den nypolerte, hvite lakken og blender meg. Det svir. Jeg lukker øynene.

– Å ja, sier hun, – det kan jeg jo. Du *er* jo her. Jeg kjente ikke igjen bilen din engang, jeg trudde jeg var kommet feil.

Jeg hører at hun går rundt *sin* bil i snøen, og jeg flytter meg et par skritt og åpner øynene mens hun åpner bildøra, lener seg inn og vrir om nøkkelen og slukker lyktene. Det blir helt stille. Litt gråt hun visst, kan jeg se.

– Du får bli med inn og få deg litt kaffe, sier jeg. – Og jeg er faktisk nødt til å sette meg ned, jeg er helt gåen i beina etter turen min i snøen. Jeg er en gammal mann, som sagt. Har du spist frokost?

– Nei, sier hun, – jeg tok meg ikke tid til det.

– Da ordner vi litt mat. Kom.

Lyra lystrer på ordet «kom» og går bort til trammen og opp de to trinnene og stiller seg foran døra.

– Så fin hun er, sier dattera mi, – når fikk du henne? Hun er jo ikke noen valp akkurat.

– For et drøyt halvår siden. Jeg var innom den gården utafor Oslo hvor de driver med omplassering av hunder. Jeg husker ikke hva det heter der. Jeg tok henne med én gang, det var ingen tvil, hun kom bare rett bort til meg og satte seg og logra. Hun nærmest bøy seg fram, sier jeg og prøver en liten latter. – Men de visste ikke hvor gammal hun var, eller av hvilken rase.

– FOD-gården, heter den. Foreningen for omplassering av dyr. Jeg har vært der en gang. Hun kan visst være litt av hvert, ser det ut som. I England kalles de British Standard, hvilket er en pen måte å si det på at de er en blanding av alt mulig du finner i gatene. Men hun er jo veldig fin, da. Hva heter hun?

Ellen gikk på skole i England et par år, og fikk mye ut av det. Men da var hun blitt voksen. Før det var det flere år hun fikk lite ut av det meste.

– Hun heter Lyra. Det var det ikke jeg som fant på. Det sto i halsbåndet hun hadde på seg. Jeg er i hvert fall glad jeg valgte henne, sier jeg. – Jeg har ikke angra et sekund. Vi har det fint sammen, og hun gjør det mye lettere å bo aleine.

Det siste høres litt sytete ut, og illojalt mot livet mitt her, jeg trenger ikke forsvare det eller forklare det for noen, ikke for denne dattera mi engang, som jeg liker ganske godt, det må jeg si, og som har kommet ut hit en tidlig morgen på mørke veier gjennom flere kommuner i sin Mitsubishi Spacewagon fra et sted helt i utkanten av Oslo, fra Maridalen faktisk, for å finne ut hvor det er jeg bor, fordi jeg da antakelig ikke har fortalt henne det og ikke har tenkt på det i det hele tatt; at jeg *skulle*. Det kan virke rart, jeg forstår det nå, og så er hun blank i øynene igjen, og det irriterer meg litt.

Jeg åpner døra, og Lyra sitter fortsatt på trappa og blir sittende der til både Ellen og jeg er inne i gangen. Da slipper jeg henne inn med en liten innøvd håndbevegelse. Jeg tar dattera mi si kåpe og henger den på en ledig knagg og følger henne inn på kjøkkenet. Det er fortsatt lunt der inne. Jeg åpner den lille ovnsdøra og kikker inn, og det er en god del glør i brennkammeret ennå.

– Dette kan reddes, sier jeg, og åpner lokket til vedkassa og strør noe flis og papirstrimler over glørne og danderer tre halvstore kubber rundt dem igjen. Jeg åpner askeluka for trekk, og det begynner å knitre med én gang.

– Her var det jo fint, sier hun.

Jeg lukker ovnsdøra og ser meg omkring. Jeg veit ikke om hun har rett i det. Jeg hadde tenkt at det *skulle* bli fint, med tida, når de fleste av utbedringsplanene er satt ut i livet, men reint er det, og ryddig.

Kanskje det var det hun mente, at hun hadde venta noe annet av en ensligboende, eldre mann, og at det hun så, gjorde henne positivt overraska. I så fall husker hun meg dårlig fra tida vi hadde sammen. Jeg trives ikke med rot og har aldri gjort det. Egentlig er jeg en pertentlig person; hver ting skal ha *sin* plass og være klar til bruk. Støv og møkk gjør meg nervøs. Hvis jeg først lar det glippe med reingjøringa, er det lett å skli helt utfor, særlig her i dette gamle huset. En av mine mange redsler er å bli mannen med den frynsete jakka og den uknepte buksesmekken foran kassa på Samvirkelaget, med egg på skjorta og mer til fordi speilet i gangen har slutta å virke. En havarert mann uten anker noe annet sted enn i sine egne flytende tanker der tida har mista sin rekkefølge.

Jeg ber henne sette seg ved bordet og har friskt vann til kaffe i kjelen og plasserer den på komfyren, og det freser på plata med én gang. Jeg må ha glemt å slå den av da jeg brukte den i morges, og det er jo egentlig ganske alvorlig, men jeg trur ikke Ellen la merke til lyden, så jeg later som ingenting og skjærer noen skiver og legger i en kurv. Jeg kjenner meg plutselig sinna, og litt kvalm, og jeg ser at jeg skjelver på hånda, så jeg holder kroppen i en vinkel som skal skjule det for henne de gangene jeg passerer for å hente fram sukker og melk og blå servietter og alt som skal til for å gjøre dette til et måltid. Jeg har vel egentlig fått i meg det jeg trenger for et par timer siden og er ikke blitt sulten igjen, men likevel legger jeg fram nok til oss begge, for hun ville kanskje føle seg brydd om hun ble sittende aleine og spise. Det er tross alt lenge siden vi har sett hverandre. Men jeg merker at jeg helst ville slippe, og så er det ikke mer jeg kan finne fram og er nødt til å sette meg.

Ei stund har hun kikka ut av vinduet på utsikten mot sjøen. Jeg ser den veien hun ser og sier:

– Jeg kaller den Svanesjøen.

– Så det er svaner der, da?

– Ja visst. To eller tre familier, så vidt jeg har sett.

Så snur hun seg mot meg. – Fortell da. Hvordan har du det, egentlig, sier hun, som om det fantes to versjoner av livet mitt, og nå er hun ikke blank i øynene i det hele tatt, men kantete i stemmen som en forhørsleder. Det er en rolle hun spiller, jeg veit det, og bak den er hun som hun alltid har vært, i hvert fall håper jeg det; at ikke livet har gjort henne til ei *kjerring*, om jeg kan unnskyldes uttrykket. Men jeg puster inn og tar meg sammen, legger hendene under låra på stolen og forteller om dagene mine her, om hvor fint det går, med snekring og vedhogst og lange turer med Lyra, at jeg har en nabo jeg kan samarbeide med i et knipetak, Lars heter han, sier jeg, en dyktig mann med ei motorsag. Vi har mange ting felles, sier jeg og smiler noe som skal være et hemmelighetsfullt smil, men jeg kan se at hun ikke får med seg det, så jeg følger ikke opp, men forteller at jeg var litt redd for all snøen som skulle komme nå som vinteren nærmer seg for fullt, men at det har fått ei løsning, som hun sjøl kan se og sikkert la merke til da hun kjørte opp til huset, fordi jeg har en avtale med en bonde som heter Åslien. Han kjører traktor med skjær og kan måke for meg når det trengs, mot betaling sjølsagt. Så jeg ordner meg, sier jeg og smiler, jeg får det til. Og så hører jeg på radio, sier jeg, hele formiddagen hører jeg på radio når jeg er inne, og jeg leser om kvelden, en god del forskjellig, men Dickens for det meste.

Hun smiler et reint smil da, ingen blanke øyne, ingen skarpe kanter.

– Du leste bestandig Dickens når du var hjemme, sier hun, – det husker jeg godt. Du satt i stolen din med ei bok og var helt vekk, og så gikk jeg bort og dro deg i ermet og spurte hva du leste, og da var det først som om du ikke kjente meg igjen, og så svarte du *Dickens* med alvorlige øyne, og jeg tenkte at det å lese *Dickens* ikke var det samme som å lese andre bøker; at det var noe helt uvanlig, som kanskje ikke alle gjorde, det var sånn det hørtes ut for meg. Jeg skjønte ikke engang at *Dickens* var navnet på han som hadde skrevet boka du satt med. Jeg trudde det var en spesiell type bøker som bare *vi* hadde. Noen ganger leste du høyt, husker jeg.

– Gjorde jeg?

– Ja, det gjorde du. Fra *David Copperfield*, viste det seg seinere, da jeg ble voksen og fant ut at jeg skulle lese de bøkene sjøl. Du ble visst aldri lei av *David Copperfield* på den tida.

– Det er lenge siden jeg har lest akkurat den nå.

– Men du har den vel?

– Joda, det har jeg.

– Da syns jeg du skal lese den om igjen, sier hun, og så støtter hun haka i den ene hånda med albuen mot bordet og sier:

– «Om jeg skal bli helten i min egen livshistorie eller om plassen skal bli opptatt av en annen, får disse sidene vise.»

Hun smiler igjen og sier: – Jeg syntes alltid den begynnelsen var litt skummel fordi den åpna for at vi faktisk ikke nødvendigvis ville bli hovedpersonene i våre egne liv. Jeg skjønte ikke hvordan det kunne gå an, noe så fært; et slags spøkelsesliv der jeg ikke kunne annet enn å *se* på den som hadde tatt plassen min og kanskje hate den personen veldig og misunne henne alt, men ikke kunne gjøre noe med det, fordi jeg på et eller annet tidspunkt hadde falt ut av livet mitt, som fra et flysete, forestilte jeg meg, og ut i løse lufta, og der svevde jeg fritt og greide ikke komme tilbake, og en annen satt fastspent i setet mitt, enda plassen var min, og jeg hadde billetten i hånda.

Det er ikke lett for meg å si noe til det. Jeg visste ikke at hun hadde tenkt på den måten. Hun har aldri fortalt det til meg. Det kan jo ha sine enkle grunner, som den at jeg ikke var til stede da hun hadde behov for å snakke, men hun har ingen anelse om hvor ofte jeg har tenkt det samme og har lest de første linjene i *David Copperfield* og så har vært nødt til å fortsette, side etter side, nesten stiv av skrekk, fordi jeg måtte se at alt til slutt falt på plass der det skulle, og det gjorde det jo, men det tok bestandig lang tid før jeg følte meg trygg. I boka. I virkeligheten var det noe annet. I virkeligheten er det blitt sånn nå at jeg ikke har hatt mot til å stille Lars det åpenbare spørsmålet:

Tok du den plassen som egentlig var min? Fikk du år av livet mitt som jeg skulle hatt?

At faren min ikke reiste til land som Sør-Afrika eller Brasil eller til byer som Vancouver eller Montevideo for å skape seg det nye livet, har jeg aldri vært i tvil om. Han flykta ikke ut, som mange har gjort det, fra handlinger begått i affekt eller fra et liv i ruiner etter lunefulle slag av skjebnen, han reiste ikke hals over hode i ly av den stille sommernatta med redde, mysende øyne som Jon gjorde. Faren min var ingen sjømann. Han ble ved elva, det er jeg sikker på. Det var sånn han ville ha det. Og det at Lars ikke snakker om han når han er oppe hos meg, det at Lars ikke har nevnt faren min med en eneste setning i den tida vi har kjent hverandre, må være fordi han kjenner han vil skåne meg, eller fordi han, som jeg, ikke greier samle alle tankene omkring disse personene, han sjøl og meg inkludert, til det éne punktet, fordi han ikke finner noe språk han kan snakke om det i. Det forstår jeg godt. Jeg har hatt det på samme måten det meste av livet.

Men det var ikke dette jeg ville tenke på nå. Jeg reiser meg fort fra bordet og skumper til det på veien opp så det krenger, og koppene hopper og kaffe skvetter ut på duken og den gule fløtemugga velter så melka flommer og blander seg med kaffen, og alt sammen i en strøm på vei mot fanget til Ellen, og grunnen til det, er at golvet på kjøkkenet er skeivt. Ei helling på fem centimeter faktisk, fra vegg til vegg. Jeg har jo målt det for lenge siden. Jeg skulle ha gjort noe med det også, men det er et stort prosjekt å legge nytt golv. Det er nødt til å vente.

Ellen trekker stolen fort tilbake og kommer seg opp før den lille bekken når kanten av bordet, og hun tar snippen av duken og bretter den opp og stopper flommen med to servietter.

– Beklager. Jeg var visst litt brå, sier jeg og hører til min forundring at orda kommer ut av munnen min i korte støt, som om jeg hadde løpt og var andpusten.

– Det gjør ingenting. Vi må bare få av denne duken litt kvikt, og så kan vi skylle den i vasken. Ingen skade skjedd som ikke litt vaskepulver kan ordne etterpå. Hun tar kontroll over situasjonen på en måte som ingen har gjort det her inne før, og jeg protesterer ikke; i en fei har hun flytta alt fra bordet over til kjøkkenbenken og dratt duken av bordplata og har den under springen og skyller den delen som er blitt klinete og vrir forsiktig duken opp og henger den til tørk over en stol foran den varme vedkomfyren.

– Så kan du ha den i vaskemaskinen seinere, sier hun.

Jeg åpner vedkassa og legger et par kubber i ovnen.

– Jeg har nok ingen vaskemaskin, sier jeg, og det høres så fattigslig ut når jeg sier det på den måten at jeg må flire, men den lille latteren blir jo heller ikke så bra, og hun får med seg det, Ellen, det ser jeg godt. I det hele tatt er det vanskelig å finne den tonen jeg gjerne skulle hatt i denne situasjonen.

Hun tørker bordet med en klut som hun vrir opp grundig flere ganger under rennende vann fordi det er melk den er full av, og da vil man gjerne ha den helt rein så den ikke skal lukte, og så stivner hun plutselig, og med ryggen mot meg, sier hun:

– Ville du helst at jeg ikke skulle kommet? Som om det først gikk opp for henne nå at dét kanskje var en mulighet. Men det er et godt spørsmål. Jeg bruker litt tid på å svare. Jeg setter meg på vedkassa mens jeg prøver å samle tankene, og da sier hun:

– Kanskje du egentlig bare vil være i fred? Det er derfor du er her ute, ikke sant, det er derfor du har flytta hit til dette stedet, fordi du vil være i fred, og så kommer *jeg* kjørende grytidlig opp på tunet ditt og forstyrrer deg, og så var ikke dét noe du ville skulle skje i det hele tatt, hvis det var opp til deg?

Alt dette sier hun med ryggen til meg. Hun har sluppet kluten i vasken og holder begge hendene rundt kanten av oppvaskbenken, og hun snur seg ikke.

– Jeg har forandra på livet mitt, sier jeg, – det er det som er viktig. Jeg solgte det som var igjen av firmaet og flytta hit fordi jeg var nødt, ellers ville det gått meg ille. Jeg kunne ikke fortsette som det var.

– Jeg forstår det, sier hun, – jeg gjør det. Men hvorfor har du ikke fortalt det til oss?

– Jeg veit ikke. Det er sant.

– Ville du helst at jeg ikke skulle kommet? sier hun igjen, insisterende.

– Jeg veit ikke, sier jeg, og det er sant det også; jeg veit ikke hva jeg skal mene om det at hun har kommet hit, det var ikke en del av planen, og så slår det meg: Nå drar hun sin vei og kommer aldri igjen. Den tanken fyller meg med en sånn plutselig skrekk at jeg sier fort:

– Nei, det er ikke sant. Ikke reis.

– Jeg har ikke tenkt å reise, sier hun da, og har ikke snudd seg fra oppvaskbenken før nå, – ikke ennå i hvert fall, men jeg kunne tenke meg å komme med et forslag.

– Hva da?

– Skaff deg telefon.

– Jeg skal vurdere det, sier jeg, – helt ærlig.

Hun blir i flere timer, og når hun setter seg i bilen er det allerede begynt å bli mørkt igjen. Da har hun gått en tur med Lyra på egen hånd, og det fordi hun sjøl ville det, mens jeg lå en halvtime på senga. Huset mitt er annerledes nå, og tunet er annerledes. Hun starter motoren med åpen dør. Hun sier:

– Nå veit jeg hvor du bor.

– Det er bra, sier jeg, – det er jeg glad for, og hun vinker kort, og bildøra smeller i, og bilen begynner å rulle ned bakken. Jeg går opp på trammen og slukker lyset på tunet og går gjennom gangen til kjøkkenet. Lyra følger meg i hælene, men sjøl når *hun* er bak meg, føles det litt tomt der inne. Jeg ser ut på tunet, men det er ikke annet der enn mitt eget speilbilde i det mørke glasset.

16

Da tømmeret var sendt, kom Franz ofte ned veien til oss. Han hadde tatt seg ferie, sa han og lo. Han satt på steinhella foran døra med en røyk og en kaffekopp og hadde kortbukser på og så merkelig ut med de hvite beina. Himmelen var bare blå og blå; en kunne si den hadde gått fra lys og blå til ubønnhørlig blå på rekordtid, og for min del kunne det gjerne ha regna litt nå.

Det kunne det nok for faren min òg. Han var fortsatt rastløs. Han kunne gå ned til elva med ei bok og legge seg til å lese der, enten i den fortøyde robåten med ei pute under nakken mot den bakerste tofta, eller på steinene i hellinga under korsfurua, og det virka som han ikke tenkte på hva som hadde skjedd på akkurat den plassen en vinterdag i 1944, eller det var kanskje nettopp det han gjorde, og så tvang han seg til en likegyldig mine for å demonstrere hvordan en mann kunne se ut som hadde et rolig og balansert sinn og bare nøyt dagene. Men han lurte ingen. Egentlig var det tømmeret han tenkte på, jeg kunne se det på måten han løfta hodet og blikket han sendte ned elva, og det provoserte meg, at det skulle være *så* viktig. Vi hadde jo en pakt. *Jeg* var jo der, og det begynte å haste med det som var igjen av denne sommeren før den var over og borte for alltid.

*

Dagen etter at vi kom hit med bussen hadde han lagt fram et forslag om en tre døgns tur på hesteryggen; om jeg ikke syntes det var en god idé, og da jeg spurte hvilke hester han tenkte på, svarte han Barkald sine, og jeg var entusiastisk og syntes det var en *veldig* god idé. Nå hadde jeg jo kommet han i forkjøpet med de hestene, men det var vel ikke mye til ritt vi hadde, Jon og jeg, der oppe i hamna, og det endte jo egentlig ikke så bra, ikke for meg i hvert fall, og ikke for Jon heller, om en tenker på det som hadde skjedd like før og hvordan allting ble etterpå, og uansett hadde jeg ikke hørt noe om forslaget siden den dagen. Så jeg var ganske overraska da jeg slo øynene opp en morgen og hørte prustende, stampende lyder gjennom det åpne vinduet fra vollen bak hytta, hvor jeg hadde gjort en så elendig jobb og ikke tort å slå brenneslene med den korte ljåen fordi jeg var redd det skulle gjøre vondt. Og så hadde faren min uten videre dratt dem opp med bare hendene og sagt: Det er du sjøl som bestemmer når det skal gjøre vondt.

Nå lente jeg meg ut av køya til jeg hang over vinduet med hendene støtta mot karmen, og med ansiktet ned foran glasset kunne jeg se det gikk to hester ute på vollen og beita. Den ene var brun og den andre var svart, og jeg så med én gang at det var de samme to som Jon og jeg hadde ridd, og om dét var et godt tegn eller kanskje heller et dårlig, det kunne jeg ikke ha svart på den morgenen hvis noen hadde kommet på å spørre meg.

Jeg hoppa fra køya som jeg pleide å gjøre og landa på golvet helt perfekt uten skader i beinet eller på noen andre deler av kroppen. Kneet var friskt igjen nå, det tok bare et par dager, og jeg lente meg ut av vinduet så langt jeg kunne uten å tippe over. Der så jeg faren min komme fra skjulet med en sadel i armene og henge den over sagkrakken så stigbøylene dingla på hver side, og jeg ropte:

– Har du vært ute og *stjælt* de hestene? Han stoppa og stivna et øyeblikk før han snudde seg og så meg henge ut av vinduet, og da han forsto at jeg tulla, smilte han og sa høyt:

– Pell deg ut hit med én gang.

– Ja vel, sjef, ropte jeg.

Jeg tok klærne mine fra stolen og løp ut i stua og kledde på meg så fort jeg kunne uten å stoppe, og jeg hinka først på det ene beinet og så på det andre mens jeg dro på meg buksa og stoppa bare så vidt for å tråkke opp i turnskoa før jeg kom meg halvblind ut på trammen med skjorteermene flaksende over hodet. Da jeg fikk ansiktet helt igjennom kunne jeg se han stå ved døra til skjulet og glane på meg, og han lo godt av det han så, og i armene hadde han enda en sadel.

– Denne skal *du* bruke, sa han. – Hvis du fortsatt er interessert, da? Du *var* interessert, husker jeg.

– Det er klart jeg er interessert, sa jeg. – Skal vi dra av gårde nå? Hvor skal vi?

– Uansett hvor vi skal, er det vel frokost først, sa faren min, – og så må hestene gjøres klare. Det tar litt tid, for det skal gjøres ordentlig, det er jo ikke bare å legge i vei. Vi har dem til låns i tre døgn på minuttet. Du kjenner Barkald, han tøyser ikke med ting han eier. Jeg forstår ikke hvorfor han sa ja engang.

Men dét var ikke noe mysterium for meg. Barkald

likte faren min og hadde gjort det hele tida, og etter hva jeg hadde hørt Franz fortelle, var tillitsforholdet dem imellom mye tettere enn jeg først hadde forestilt meg. Kanskje hadde ikke engang faren min betalt for setra vi bodde i, kanskje Barkald bare hadde gitt den til han fordi de var sånne gode venner da krigen var over på grunn av det de hadde vært med på sammen. Da ble jo alt helt annerledes, ikke sant, enn da vi kom hit første gangen, og skogen og elva var fremmede for meg, og plassen ved butikken var ny, og brua var ny, og jeg aldri før hadde sett tømmerstokker reise gule og glinsende med strømmen i ei elv, og Barkald var en mann jeg var skeptisk til fordi han hadde eiendom og penger, og det hadde ikke vi, og jeg trudde faren min følte det på samme måten. Men det gjorde han tyde-ligvis ikke, og når han sa det han sa nå, må det ha vært for å kokettere eller for å legge et slør over hvor-dan ting egentlig hang sammen.

Det var i så fall litt skummelt, men jeg kunne ikke ta hensyn til det, for sommeren nærma seg slutten, i hvert fall for oss, og den tyngden jeg kjente på fløter-dagen som pressa meg ned og nesten ødela kneet mitt, var løfta fra kroppen på mystisk vis og forsvunnet. Nå var jeg like rastløs som faren min og følte en vilje til å tvinge mest mulig ut av dagene vi hadde igjen og alt det som fantes ved elva og i landskapet omkring før vi reiste tilbake til Oslo.

Og det var det vi skulle; vri den siste varmen fra stiene i skogen og fra bergrabbene i sola mot Furufjellet og se refleksen fra blendende bjørkestammer svirre mel-lom trærne som piler skutt ut fra kiowaenes buer og dykke i djupgrønne bregner som sto viftende langs kanten av den smale grusveien som palmeblader på Palmesøndag i søndagsskolens Bibel. Vi kom ned veien på hestene i skritt fra setra, forbi det gamle fjøset av tømmer der jeg hadde vært inne ei natt for ikke så lenge siden og plutselig kjent heten i kroppen, og nå var det varmen fra hestenes flanker mot låra, og mot ansiktet varmen av vinden fra sør. Vi rei den i møte på vår egen østside av elva, og frokost hadde vi spist og pakka sadelveskene og rulla varme pledd sammen til bruk for overnatting, og regnfrakkene var spent sammen med pleddene, og hestene strigla og skinnende i manen. Over åsen i vest var det banker av skyer som dro langs toppen, men det kom nok ikke til å regne, hadde faren min sagt og rista på hodet og så bare svingt seg opp.

Foran fjøset der nede sto budeia på tunet med bøtter og kar som hun vaska med vann og soda i bekken, og sola blinka i metallet og i det isklare vannet som pøste inn i bøttene og spruta ut igjen, og vi vinka til henne, og hun løfta hånda og vinka tilbake, og da slo ei skinnende strime av vann ut i ei bue gjennom lufta før den falt mot bakken. Hestene prusta og slang med hodet, og hun lo høyt da hun så hvem det var som passerte, men det var ikke ille ment, og jeg rødma ikke.

Hun hadde en fin stemme, som kanskje hørtes ut som ei sølvfløyte for alt jeg visste, og faren min snudde seg i sadelen og så på meg som kom ridende rett bak han. Jeg var fortsatt opptatt med å finne en måte å sitte på i sadelen som føltes riktig. Vær løs i hoftene, hadde faren min sagt, la hoftene være en del av hesten. Du har et kulelager der, sa han. Bruk det, og jeg kjente at jeg *hadde* det, at kroppen min var sånn satt sammen at den kunne bli god til å ri, om jeg ville.

– Kjenner du *henne* òg? sa faren min nå.

– Jøss ja, vi kjenner hverandre godt, sa jeg, – jeg har vært og besøkt henne flere ganger, hvilket ikke var sant i det hele tatt, men jeg visste ikke hvem han tenkte på når han sa henne *òg*, om det var mora til Jon han mente, og måten han sa det på fikk meg til å lure på om han fortsatt var sinna på meg etter dagen ved tømmerveltene, og så sa han:

– Hva med noen på din egen alder?

– Det *er* jo ingen her, sa jeg, og det var i hvert fall sant. I løpet av to sommere hadde jeg ikke sett ei jente på min egen alder i flere kilometers omkrets, og det passa meg helt fint. Jeg hadde ikke bruk for noen på min egen alder, hva skulle jeg med henne? Det var fint som det var, og jeg hørte at stemmen min var stiv og avvisende, og han stirra meg rett inn i øynene, og så smilte han.

– Det har du faen meg rett i, sa han og snudde seg tilbake, og jeg hørte at han lo.

– Hva ler du av? ropte jeg og kjente at jeg òg ble forbanna, men han snudde seg ikke, sa bare rett ut i lufta:

– Jeg ler av meg sjøl. I hvert fall trur jeg det var det han sa, og det kan godt hende at det var sant. Han kunne jo det; le av seg sjøl. Noe *jeg* ikke var så god til, mens *han* gjorde det ofte. Men hvorfor han gjorde det akkurat nå, var ikke noe jeg forsto. Så rørte han hesten med hælene så vidt i sidene, og da økte den farta til lett trav.

– Nå drar vi i vei, ropte han, og jeg som kom bakerst, fikk nok med å passe på at kulelageret i hoftene rulla korrekt i sadelen da hesten min også slo om og fulgte etter, og fjøset forsvant mellom trærne bak oss, og budeia ble stående på tunet med de skinnende brune knærne under stakken og de sterke, brune armene i været.

Vi fortsatte ned veien så langt at den smalna til en sti, men vi tok ikke svingen over sletta mot elva og den lille brygga i sivet hvor jeg hadde gått ei natt i et merkelig lys og sett faren min kysse mora til Jon som var det det siste han gjorde. I stedet førte vi hestene videre langs en annen sti som snart vendte østover og ikke ble mer enn et elgtråkk etter hvert i sikksakk mellom gamle, høye bjørketrær med susende, store kroner når du la hodet bakover og stirra gjennom bladverket, og jeg gjorde det til jeg fikk kink i nakken og tårer i øynene, og vi kryssa en djup bekk der vannet så iskaldt ut. Og det *var* kaldt da det slo opp mellom hestebeina og ut over låra på buksa mi og trakk igjennom stoffet med én gang, og noen dråper traff helt oppe i ansiktet da vi plaska over i trav, og hestene likte det, at terrenget skifta opp mot Furufjellet. Granskogen sto tett og urørt av hogst i de bratte liene, og vi fulgte tråkket mot toppen av åsen og stoppa et øyeblikk på det høyeste punktet og snudde hestene for å se oss tilbake, og mellom nyslåtte enger bukta elva seg sølvmatt over tretoppene, og skybankene lå over åsen på den andre sida av dalen. Det var fint å se på, bedre enn fjorden hjemme. Jeg ga egentlig faen i fjorden, det var det som var saken, og dette var siste gangen på lenge jeg kunne se ut over dalen her på denne måten, det visste jeg godt, og det gjorde meg ikke vemodig som en kanskje skulle tru, men irritert nesten, og litt forbanna. Jeg ville videre. Jeg syntes faren min ble sittende lenger enn nødvendig med ansiktet mot vest, og da snudde jeg hesten med rompa mot dalen og sa:

– Her kan vi ikke stå og slenge.

Han så på meg og smilte svakt, og så snudde han også hesten og begynte å bevege seg rett øst mot der jeg visste Sverige var. Når vi kom dit, ville alt se ut akkurat som det gjorde på denne sida av grensa, men det ville føles forskjellig, det var jeg sikker på, for jeg hadde aldri vært i Sverige. Om det var dit vi skulle. Det hadde ikke faren min sagt noe om. Jeg gikk bare ut ifra det.

Og jeg tok ikke feil. Vi kom ned fra åsen på den andre sida gjennom et trangt skar med dårlig sikt til alle kanter, og hestene skritta forsiktig av gårde, for i hellinga var det fullt av grus og av stein som var løs, og bratt var det òg. Så jeg lente meg bakover i sadelen med stive bein og føttene hardt pressa ned i stigbøylene for ikke å ramle fram over hestehalsen og ned i ura, og smellet fra de jernskodde hovene klang i berget på begge sider og lagde ekko i tillegg, så en kan ikke si vi fór stille fram. Men det var vel ikke så farlig, tenkte jeg, for ingen var etter oss nå, ingen tysk patrulje med maskinpistol og kikkert, ingen grensepoliti med sporhunder, ingen mager, innbitt US Marshall på en like mager hest som fulgte oss, dag ut og dag inn, på samme avstand hele tida, ikke nærmere, ikke lengre fra, mens han tålmodig venta til det rette tidspunktet kom, da nervene våre var slitt tynne som tøyfiller, og vi et øyeblikk ikke var på vakt. Da kunne han slå til. Uten å nøle. Uten nåde.

Jeg snudde meg forsiktig i sadelen og kikka tilbake for å se om han virkelig *ikke* var der på den grå, magre hesten sin, og jeg lytta det jeg kunne, men lydene fra våre egne hester var altfor høye i det trange skaret til å høre noe annet.

Nede fra hellinga kom vi ut på ei slette, og med skyggene fra åsen bak oss og sola i ryggen, begynte hestene å småtrave av bare lettelse, og faren min pekte mot en kolle der det sto ei enslig og kronglete furu som en skulptur på toppen, og han ropte:

– Ser du den furua der oppe?

Det var jo ikke stort annet å se på akkurat her, så jeg ropte tilbake:

– Klart jeg ser den.

– Der begynner Sverige! og han pekte fortsatt mot furua som om den var vanskelig å få øye på.

– Ja vel, ropte jeg, – da er det førstemann til den furua! og satte hælene i sidene på hesten som slo om med én gang og kasta seg fram, og da mista jeg taket i tøylene og falt nesten rett baklengs ut av sadelen av det plutselige rykket, trilla over rompa på hesten og deiste i bakken. Bak meg ropte faren min:

– Fantastisk! En gang til! Da Capo! og så kom han i galopp og passerte med en høy latter og satte etter den løpske hesten. Etter bare hundre meter var den tatt igjen, og han fikk bøyd seg fram og grepet tøylene i fart og gjorde en stor halvsirkel på sletta og kom skrittende tilbake på en måte som fortalte all verden at også dette var noe han *kunne*. Men all verden var ikke til stede, det var bare jeg som lå slengt som en tomsekk i det høye graset og så han komme mot meg med de to hestene, og det gjorde ikke spesielt vondt noe sted akkurat da, men jeg ble likevel liggende. Han steig av hesten sin, kom helt bort og satte seg på huk foran meg og sa:

– Beklager at jeg lo, det så bare så fordømt komisk ut, som noe på sirkus. Jeg veit jo at det ikke var morsomt for deg. Det var utrulig dumt av meg å le. Gjør det veldig vondt noe sted?

– Egentlig ikke, sa jeg.

– Bare litt i sjela?

– Litt, kanskje.

– La det synke, Trond, sa han. – La det bare ligge. Du kan ikke bruke det til noe.

Han rakte meg hånda for å dra meg opp, og jeg tok den, og han klemte til så hardt at det nesten gjorde vondt, men han dro meg ikke opp. I stedet sank han plutselig på kne og slo armene omkring meg og dro meg inntil brystet sitt. Jeg visste faen ikke hva jeg skulle si, jeg ble virkelig overraska. Vi var jo gode venner, hadde vært det iallfall, og ville helt sikkert bli det igjen. Han var den voksne mannen jeg så opp til mest av alle, og vi *hadde* fortsatt en pakt, det var jeg overbevist om, men vi pleide ikke klemme hverandre. Vi kunne leikeslåss og holde rundt hverandre på den måten og trille som to tullinger over vollen på setra hvor plassen var stor nok til sånne barnsligheter, men dette var ikke slåssing. Tvert imot. Han hadde aldri gjort noe sånt før som jeg kunne huske, og det føltes ikke riktig. Men jeg lot han holde på mens jeg tenkte etter hvor jeg skulle gjøre av hendene mine, for jeg ville jo ikke skyve han vekk, og jeg kunne ikke holde omkring han som *han* holdt rundt meg, og dermed ble de bare hengende i lufta. Men jeg behøvde ikke

218

tenke på det lenge, for så slapp han og reiste seg og tok hånda mi igjen og dro meg opp i stående. Han smilte nå, men jeg visste ikke om det var til meg, og jeg hadde ingen anelse om hva jeg skulle si. Han ga meg bare tøylene til hesten min, børsta forsiktig rusk fra skjorta mi foran, og var helt vanlig igjen.

– Vi får vel komme oss inn i Sverige, sa han, – før hele landet synker og blir borte for oss, og så er det bare Bottenvika igjen og Finland på den andre sida, og Finland har vi ikke mye bruk for nå. Jeg forsto ingenting av det han sa, men så han satte foten i stigbøylen og svingte seg opp, og da gjorde jeg det samme. Jeg prøvde ikke engang å se elegant ut, for jeg var øm og lemster i hele kroppen, og vi rei i skritt opp mot den krokete furua som så ut som en skulptur og over grensa til Sverige, og det var riktig som jeg hadde tenkt, at det *føltes* forskjellig sjøl om alt så likt ut, da vi var kommet forbi.

Den natta sov vi under et bergutspring hvor det var en bålplass fra før. Det var rester av granbar der i to lengder brukt til å ligge på, men alle barnålene var blitt brune og hadde dryssa av for lenge siden, så vi fjerna det gamle og tok ned nye greiner fra trærne omkring med kvistøksa jeg hadde brukt med sånn iver for ikke så lenge siden, og vi danderte baret til to mjuke senger under berget, og det lukta sterkt og godt når du la deg med ansiktet nesten nedi. Vi henta pleddene våre og tente et bål inni sirkelen av stein og satte oss på hver vår side av flammene for å spise. Vi hadde knytta reipene sammen til ett langt og slått det rundt fire grantrær med nok avstand imellom så det ble som en innhegning, og der hadde vi sluppet hestene løs. Vi kunne høre dem så vidt fra bålplassen når de gikk omkring på den mjuke skogbunnen og helt tydelig når hovene iblant traff en stein, og de lagde bløte lyder i halsene til hverandre, men vi kunne ikke se dem så godt, for det var august nå og mørkere om kvelden. Flammene kasta et gjenskinn mot bergtaket over meg som ga tankene farger langt inn i søvnen og drømmene djubde, og da jeg våkna om natta huska jeg først ingenting om hvor jeg var eller hvorfor. Men det var fortsatt ild og glør og lys nok fra bålet og den kommende dagen til å stå opp og gå forsiktig ned til hestene og så få hukommelsen tilbake, alt i én langsom strøm mens røtter og småstein skrapte mot de nakne fotsålene, og jeg snakka med hestene over reipet helt stille om stille ting jeg glemte i samme øyeblikk jeg hadde sagt dem, og jeg strøyk hendene opp og ned langs de kraftige halsene. Etterpå kjente jeg lukta av dem på fingrene mine og kjente i brystet hvor rolig jeg var før jeg gikk bort og gjorde bak en kampestein det jeg hadde våkna for å gjøre. På vei tilbake opp var jeg så søvnig at jeg snubla flere ganger, og under bergutspringet dro jeg pleddet fort over meg og var borte med én gang.

De dagene var de siste dagene. Når jeg sitter her nå, på kjøkkenet i det gamle huset jeg har flytta til for å ruste opp til et levelig sted i de åra jeg har igjen, og dattera mi har reist etter et overraskende besøk og har tatt med seg stemmen sin og sigarettene og det gule lyset fra billyktene ned veien, og jeg ser meg tilbake, har hver eneste bevegelse gjennom landskapet den gangen tatt farge av det som kom etter og kan ikke skilles ifra det. Og når noen sier at fortida er et fremmed land; at de gjør ting annerledes der, så har vel jeg også følt det på den måten det meste av livet fordi jeg har vært nødt, men det gjør jeg ikke lenger. Om jeg bare konsentrerer meg, kan jeg gå inn på hukommelsens lager og finne den riktige hylla med den riktige filmen og forsvinne i den og kjenne i kroppen min ennå det rittet gjennom skogen med faren min; høyt over elva langs åsryggen og ned igjen på den andre sida, over grensa til Sverige og langt inn i det som jo *var* et fremmed land, i hvert fall for meg. Jeg kan lene meg tilbake og være ved bålet under berget som jeg var det den natta da jeg våkna så vidt en andre gang og så faren min ligge med åpne øyne og stirre opp i fjellet over seg; helt ubevegelig, med hendene under hodet og et rødt skinn fra glørne mot panna og det skjeggstubbete kinnet, og enda jeg så gjerne ville, rakk jeg aldri å se om han faktisk lukka øynene før morgenen kom. Uansett var han oppe lenge før meg og hadde vanna hestene og strigla dem begge med børsta, og var ivrig etter å komme i gang; hektisk i måten han bevegde seg omkring, men ikke skarp i stemmen på noen måte som jeg kunne høre. Så vi pakka sammen og sadla hestene før jeg fikk drømmene ut av hodet og var på vei før jeg kunne tenke noe annet enn helt enkle tanker.

Jeg hørte elva før jeg kunne se den, og vi kom rundt en kolle, og da var den der nesten hvit mellom trærne, og noe i lufta forandra seg som gjorde det lettere å puste. Jeg kunne se det med én gang, at det var vår egen elv, bare lenger sør og godt inne i Sverige, og sjøl om det ikke er mulig å kjenne igjen vann på måten det renner, var det akkurat det jeg gjorde.

Vi kom ned til bredden og bevegde oss i skritt langs den så godt det lot seg gjøre mot sør, og faren min speida både opp og ned og over til den andre sida, og først så vi bare én enslig tømmerstokk inne i et siv der den lå og butta, og så sto det flere fast ved ei grunne lengre framme. Da tok faren min øksa og hogde til noen kraftige påler av to småfuruer, og vi vassa uti med skoa på; jeg i mine turnsko og faren min i sine grove snørestøvler, og vi brukte pålene som tømmer-staker og fikk stokkene ut i strømmen igjen. Men jeg kunne se han var bekymra nå, for vannstanden var ikke mye å skryte av, og slett ikke til fløting, og han ville videre langs elva med én gang. Så vi kom oss i sadelen og rei av gårde med de lange pålene som lan-ser rett opp i lufta på sida av hestene som Ivanhoe og væpneren hans sikkert holdt sine lanser på vei til en turnering eller et avgjørende slag mot de falske nor-mannerne i det gamle England. Jeg prøvde å holde fantasien i sjakk, men det var ikke lett der jeg satt på hesteryggen på vei gjennom buskaset ved bredden, for fienden kunne jo vise seg når som helst. Vi kom til en sving i elva, og rundt den var det et flatt stryk hvor en stokk hadde kilt seg fast midt uti strømmen mellom to store steiner som sto nakne og tørre i det synkende vannet, og flere og flere hadde kommet seilende og hopa seg opp imot den stokken. Nå var det ei stor vase der ute som sto bom fast. Det var ikke dette faren min ville se. Han falt litt sammen i sadelen, og det plagde meg å se han sånn, det gjorde meg urolig, så jeg hoppa fra hesten og løp ned til vannet og stirra ut på tømmervasen, og jeg løp litt den ene veien langs bredden og stirra fortsatt ut i elva og løp tilbake igjen og enda et stykke og trippa og greide ikke stå stille og stirra på vasen fra alle mulige kanter. Til slutt ropte jeg til faren min:

– Får vi et reip rundt den ene stokken der, og jeg pekte mot den som var nøkkelen til problemet, – og vi haler den bare *litt* tilbake fra steinen, så løsner den fra klemma, og da reiser helt sikkert resten med.

– Det blir ikke lett å komme ut dit, sa han, og stemmen hans var flat nå og uten glød, – og vi greier ikke dra den stokken en millimeter, sa han.

– Nei, ikke vi, ropte jeg, – men hestene.

– ok, sa han, og jeg kjente hvor letta jeg ble. Jeg løp bort til hesten min og løsna reipet fra sadelen, og så tok jeg faren min sitt og knøyt de to sammen og lagde ei renneløkke i den ene enden og dro den stor og hadde den over hodet og ned under armene over brystet og stramma til med knuten litt bakpå.

– Du får passe på den andre enden, ropte jeg og snudde meg ikke for å se hvordan han tok en direkte ordre, og så løp jeg opp bredden et stykke til jeg mente det var nok, og der kasta jeg meg rett uti for å få sjokket overstått. Først krabba jeg nesten på bånn, og så ble det brådjupt, og jeg la på svøm ut mot midten av elva. Strømmen var ikke sterk her, men den dro meg med allikevel, og så var jeg helt ute, og da gikk det fortere med én gang. Jeg lot meg drive til hendene traff den første stokken, og jeg kjente etter om den holdt og heiste meg opp, og sålene i turnskoa fikk feste mot stammen. Der sto jeg og gynga til alt føltes riktig, og så begynte jeg å hoppe fra stokk til stokk, med reipet løfta i den ene hånda, opp og ned vasen og over til den andre sida og tilbake igjen, og jeg tok noen svinger som var helt overflødige for å kjenne rytmen i beina, om den var der som den hadde vært der før, og noen av stokkene spant rundt da jeg traff dem og skifta posisjon, men jeg var allerede videre og mista ikke balansen, og faren min ropte fra bredden:

– Hva er det du driver på med?

– Jeg flyr! ropte jeg tilbake.

– Når lærte du deg det der? ropte han.

– Da du ikke så på, ropte jeg, og lo og sprang helt fram til den vanskelige stokken, og der så jeg at enden jeg skulle ha løkka omkring, lå godt under vann.

– Jeg må nedi, ropte jeg. Og før faren min fikk sagt noen ting, hadde jeg hoppa uti igjen og latt meg synke til jeg sto på bunnen. Der kjente jeg strømmen dunke meg i ryggen og dra i armene, og jeg åpna øynene og så enden av stokken rett foran meg, fikk vridd løkka over hodet og over dit hvor jeg ville ha den. Alt gikk så fint at jeg kjente jeg kunne stått der lenge nesten vektløs og bare holdt pusten og holdt hendene mot den stokken. Men så slapp jeg og steig igjen. Faren min stramma reipet, og alt jeg behøvde gjøre var å hale meg inn til bredden. Jeg reiste meg dryppende på grunna, og faren min sa:

– Det der var faen ikke dårlig, og så smilte han og festa reipet til sæletøyet med en provisorisk innret-ning han hadde lagd mens jeg var ute i elva, og tok tøylene og gikk foran hesten og ropte Hiv! og hesten dro det den kunne, og ingenting skjedde. Han ropte Hiv! igjen, og hesten dro, og da hørte vi en skrapende

224

lyd ute fra stryket, og det var noe som brakk, og hele tømmerhaugen tippa framover. Stokk etter stokk raste ut og ble tatt av strømmen på nedsida av stryket. Da så faren min nesten lykkelig ut, og jeg forsto av måten han så på meg, at det gjorde jeg også.

III

17

Det var som om et teppe hadde senka seg og skjulte alt jeg noen gang hadde visst om. Det var som å begynne livet på nytt. Fargene var annerledes, luktene annerledes, følelsen ting ga meg djupt inni meg sjøl var annerledes. Ikke bare forskjellen mellom varme og kulde, lys og mørke, lilla og grått, men en forskjell i måten jeg var redd på og i måten jeg var glad.

Og jeg *var* noen ganger glad, sjøl i de første ukene etter at jeg reiste fra setra. Jeg var glad og full av forventning når jeg satte meg på sykkelen og trilla ned den bratte Nielsenbakken, forbi Ljan stasjon til Mosseveien for å tråkke de sju kilometerne inn til Oslo sentrum, men jeg var urolig samtidig og kunne begynne å le høyt uten grunn, og det var vanskelig å konsentrere seg. Alt jeg så langs veien og fjorden var kjent fra før, og ingenting var det samme. Ikke Nesodden eller Bunnefjorden inn mot Ingierstrand og Roald Amundsens hus, ikke Ulvøya med den fine brua fra veien over det trange sundet, eller Malmøya rett bak, ikke kornsiloen på Vippetangen eller de grå festningsveggene på den andre sida av havnebassenget der amerikabåten la til. Ikke den seine augusthimmelen over byen.

Jeg kan se meg sjøl sykle hele veien inn til Østbanestasjonen i det nesten hvite sollyset; grå kortbukser og åpen skjorte, flagrende forbi Bekkelaget; toglinja til venstre her og fjorden til venstre og berget rett opp til høyre med Ekebergåsen; skrikene fra måker, duften av kreosotstinne jernbanesviller og den rå duften av saltvann i den dirrende lufta. Det var varmt ennå i slutten av august enda sommeren egentlig var over, en hetebølge nesten, og jeg kunne sykle så fort jeg orka med den brennende lufta silende mot det bare brystet der svetten rant, eller bare seile tørr av gårde under sola, og noen ganger hørte jeg meg sjøl synge.

Sykkelen hadde jeg fått av faren min året før da det ikke var en eneste ny sykkel å oppdrive i landet. Den hadde vært hans egen i mange år, men hadde stått i kjelleren i lange tider fordi han nesten aldri var hjemme, og han trengte den ikke mer, det var ei ny tid nå, sa han, med nye planer, og sykkelen var ikke en del av de planene. Det var nok bare noe han sa, men jeg var glad for å få den og stelte den godt. Den ga meg en frihet og en rekkevidde jeg ikke ville vært foruten. Jeg hadde skrudd den fra hverandre flere ganger og skrudd den sammen igjen som faren min hadde vist meg. Den var vaska og pussa og olja i alle ledd og tannhjul, og kjedet rant fullstendig lydløst rundt og rundt; fra kranken med pedalene til navet i hjulet bak og tilbake igjen i den blankpussa kjedekassa, og det fra øyeblikket jeg satte meg på og trilla ned bakken hjemme, til jeg like lydløst svingte inn mot sjøsida av Østbanestasjonen og parkerte der ved et sykkelstativ og enda en gang gikk inn gjennom de høye dørene fra det skarpe sollyset på utsida til den dunkle, støvmetta lufta i hallen for å studere rutetabellene for ankommende tog. Jeg gikk langs sperrene sammen med mange andre og så på skiltene foran de forskjellige perrongene der det gjenklinte glasstaket hvelva seg høyt over mennesker og jernbanevogner, men jeg var nok den eneste som dro en uniformert konduktør i ermet og spurte i detalj etter hvert eneste tog som kom til Oslo via Elverum. Han så på meg lenge, han kjente meg, jeg hadde spurt han før, flere ganger, og han bare pekte opp på skiltene jeg allerede hadde sett. Ingen hemmelig informasjon var tilgjengelig, ingen gjenglemte skilt noe sted.

Jeg var som vanlig for tidlig ute. Jeg stilte meg opp ved ei søyle for å vente i det merkelige halvlyset som var likt for alle tider på døgnet i den store stasjons-hallen og samtidig ikke riktig for noen av dem; ikke for dag eller for kveld, ikke for morgen, og ikke for natta heller, og det var gjenlyd fra folk sine sko og fra folk sine stemmer, og aller mest var det en stor stillhet høyt oppe under taket der duene satt i lange rekker, grå og hvite og spraglete brune, og så ned på meg. De hadde reir overalt mellom jernbjelkene og bodde der hele livet.

Men han kom jo ikke.

Jeg veit ikke hvor mange ganger jeg tok den turen i løpet av ettersommeren 1948 for å vente på toget fra Elverum. Og hver gang var jeg like spent og forvent-ningsfull, ja nesten glad, når jeg satte meg på sykkelen og trilla i gang ned Nielsenbakken og videre hele veien inn for å stå der og vente.

Men han kom jo ikke.

Og så kom endelig regnet som alle hadde venta på, og jeg fortsatte å sykle inn til Oslo nesten annenhver dag for å se om han ikke var med toget fra Elverum akkurat *den* dagen. Jeg hadde sydvest på, og oljehyre, jeg så ut som en fisker fra Lofoten i min gule habitt, og gummistøvler hadde jeg, og vannet spruta til begge kanter fra sykkelhjula og kom fossende fra berget under Ekebergåsen og ned på togskinnene langs høyre side av veien før skinnene forsvant i en tunnel og dukka opp igjen på den venstre sida litt lenger framme, og alle hus og bygninger var gråere enn de noensinne hadde vært og forsvant i regnet, uten øyne, uten ører, uten stemmer, de fortalte meg ingenting lenger. Og så slutta jeg. Én dag dro jeg ikke inn, og ikke dagen etter, og ikke den neste heller. Det var som om et teppe hadde senka seg. Det var som å begynne livet på nytt. Fargene var annerledes, luktene annerledes, følelsen ting ga meg djupt inne i meg sjøl var annerledes. Ikke bare forskjellen mellom varme og kulde, lys og mørke, lilla og grått, men en forskjell i måten jeg var redd på og i måten jeg var glad.

Utpå høsten kom det et brev. Det var poststempla i Elverum, og navnet til mora mi sto på konvolutten, og adressen i Nielsenbakken sto der, men på brevarket inni var det retta til oss alle tre, med navns nevnelse, etternavn også, enda vi alle hadde det samme. Det så merkelig ut. Det var et kort brev. Han takka for tida vi hadde hatt sammen, han så tilbake på den med glede, men det var ei annen tid nå, og det kunne ikke hjelpes: Han kom ikke hjem mer. I en bank i Karlstad, Sverige, hadde han penger til gode for tømmeret vi hadde felt i sommer og sendt ned elva. Han hadde allerede skrevet til den banken, og han la ved en fullmakt i dette brevet så mora mi kunne reise til Karlstad og heve pengene mot identifikasjon. Lev vel. Slutt. Ingen spesiell hilsen til meg. Jeg veit ikke. Jeg syntes egentlig jeg hadde fortjent det.

– Tømmer? var det eneste mora mi sa. Hun hadde allerede fått den tyngden i kroppen hun kom til å ha resten av livet, ikke bare en tyngde i armer og hofter og i måten hun gikk på, men en tyngde i stemmen og i hele mimikken, til og med øyelokkene hennes var blitt tunge, som om hun holdt på å sovne og ikke fulgte helt med, og saken var at jeg hadde ikke fortalt henne ett ord om hva som hadde skjedd med faren min og meg den sommeren. Ikke ett ord. Bare at han ville komme hjem så snart det var mulig, når det som skulle ordnes opp i, var ferdig ordna.

Mora mi lånte penger av den broren hun hadde som ikke var blitt skutt av Gestapo på flukt fra en politistasjon på Sørlandet i 1943. Onkel Amund kalte vi han. Onkel Arne het han som ble skutt. De var tvillinger. De hadde holdt sammen i alt, gått på skolen sammen, gått langrenn sammen, gått på jakt sammen, men nå var Onkel Amund en ensom jeger. Han bodde i den leiligheten som Arne og han hadde delt inne i byen, på Vålerenga, og han var *ikke* gift. Han kan ikke ha vært mer enn et par og tredve på det tidspunktet, men i leiligheten lukta det gammal mann, i hvert fall syntes jeg det, de gangene jeg var på besøk der i Smålensgata.

For pengene hun lånte kjøpte hun billetter til Karlstad med Stockholmstoget. Jeg hadde studert den ruta: Avgang tidlig morgen fra Oslo Øst, opp langs

Glomma til Kongsvinger, så brått mot sør over grensa til Sverige og Charlottenberg og ned til Arvika ved Glafsfjorden og videre i samme himmelretning mot Karlstad; hovedstad i Värmlands län, ved den store innsjøen Vänern, så stor faktisk at Karlstad ble en havneby. Retur samme ettermiddag. Mora mi ville at jeg skulle være med, mens søstera mi ble hjemme. Som vanlig, sa søstera mi, og det var riktig det, men det var jo faen ikke min sak.

Denne gangen var det ikke sykkel langs Mosseveien til Østbanestasjonen, men lokaltoget fra Ljan stasjon langs fjorden, og på fjorden var det ikke lenger sommer, men en lav grå himmel som nesten rørte bølge-toppene og en voldsom vind som piska vannet til hvite blonder mellom øyene. Jeg sto på perrongen og så en damehatt komme flygende høyt over jernbane-sporet, og de høye furutrærne vi hadde så mange av der ute hvor vi bodde, svaia i vinden og bøyde seg skummelt i de verste kastene. Men de kom ikke til å falle. Jeg hadde trudd det så mange ganger som liten, at de ville ramle overende med røttene i været, når jeg satt ved vinduet i annen etasje og stirra nervøst på de slanke, rødgule stammene som vinden herja med overalt mellom husene i bakkene mot fjorden, og de bøyde seg kraftig, men de falt aldri.

På Østbanestasjonen visste jeg uten videre hvilke perronger alle togene kom inn til, jeg visste når togene skulle gå, og jeg fulgte mora mi til riktig spor og fant riktig vogn og hilste til høyre og til venstre på folk jeg hadde snakka med før; portører og konduktører og dama i kiosken og to menn som sto der inne bare for å drikke noe ubestemmelig ekkelt fra ei flaske de delte mellom seg, og hver dag ble de jagd ut, og hver dag kom de like sikkert tilbake igjen.

Jeg satt i kupeen ved vinduet med ryggen mot retninga vi reiste, for mora mi kunne ikke sitte den veien uten å bli kvalm, sa hun, og sånn var det mange som hadde det, men det gjorde ikke meg det minste. Toget fór opp langs Glomma, og på utsida tikka stolpene forbi ved Blaker stasjon og ved Årnes; ping og ping og ping og ping, og hjula slo mot skinneskjøtene; dungadung, dungadung, dungadung, og jeg sovna der jeg satt med et flimrende lys mot øyelokkene, ikke sollys, men et gråhvitt lys fra himmelen over elva, og jeg drømte at jeg skulle til setra, at det var bussen jeg satt på.

Jeg våkna igjen og så mysende ut på Glomma og kjente at jeg hadde det i meg ennå; jeg var venner med vann, med rennende vann, det var et sug fra den store elva som duva av sted i motsatt retning av den vi reiste, for vi dro mot nord, mens elva dro sørover mot byene ved havet og gikk tung og brei som store elver alltid gjør.

Jeg flytta blikket fra Glomma til mora mi i setet rett overfor meg i kupeen og til ansiktet hennes der lyset gikk av og på med master og stolper langs linja og med små bruer og med trær. Øynene hennes var lukka, og de tunge øyelokkene hvilte mot de runde kinnene som om alt var unaturlig for dette ansiktet annet enn å sove, og jeg tenkte; han ble faen meg bare borte og lot meg bli igjen med *henne*.

Å, jeg var glad i mora mi, jeg sier ikke annet, men det jeg kunne lese av framtid i ansiktet foran meg, var ikke hva jeg hadde forestilt meg. Bare å se på det ansiktet lenger enn i tre minutter sammenhengende fikk verden til å klemme mot skuldrene fra begge sider. Det gjorde meg kort i pusten. Jeg greide ikke sitte stille. Jeg reiste meg fra setet, dro døra opp og gikk ut i gangen til vinduene mot den andre sida av toget hvor åkrene fór forbi og var ferdig treska og tomme og brungule i det matte høstlyset. Det sto en mann der og så ut på landskapet. Det var noe med ryggen hans. Han røyka en sigarett og var langt borte. Da jeg stilte meg ved vinduet, snudde han seg nesten drømmende og nikka vennlig og smilte. Han likna ikke faren min i det hele tatt. Jeg gikk opp gangen langs kupédørene til enden av vogna og snudde ved den store vannkolben på veggen og gikk tilbake igjen, forbi mannen med sigaretten mens jeg stirra i golvet og videre helt til den andre enden, og der fant jeg en kupé som var tom. Jeg gikk inn i den og stengte døra og satte meg ved vinduet med ansiktet i retninga vi kjørte og så ut på elva som kom rennende mot meg nå og ble borte bak ryggen min, og det er mulig jeg grein litt med ansiktet mot ruta. Så lukka jeg øynene og sov som en stein til konduktøren reiv døra opp med et smell og sa at nå var vi kommet til Karlstad.

Vi sto skulder ved skulder på perrongen. Toget på skinnene bak oss var stille nå, men skulle snart starte opp igjen og dunke i gang og reise videre til Stockholm. Vi hørte fresing fra en ventil, vi hørte vinden suse i kabler spent opp mellom mastene langs stasjonen, og en mann på perrongen ropte: Kom, för fan! til kona si, men hun ble stående der hun sto med alle veskene deres. Mora mi så forvirra ut og var hoven i ansiktet av søvn. Hun hadde aldri vært i utlandet før. Bare *jeg* hadde det, men det var i skogen. Karlstad var annerledes enn Oslo. De snakka annerledes her, det hørte vi med én gang, og det var ikke bare orda, men tonefallet vi syntes var fremmed. Byen virka mer oversiktlig enn Oslo sett fra stasjonen, og den så langt fra så nedslitt ut. Men vi visste ikke hvor vi skulle gå. Vi hadde bare ei veske med oss, for vi skulle ikke overnatte her eller foreta noen store utflukter. Vi skulle bare en tur i banken egentlig, Wärmlandsbanken het den og befant seg et sted i sentrum av denne byen, og så skulle vi vel spise. Vi tenkte vi hadde råd til det da; å spise på kafé for én gangs skyld når vi hadde vært i banken og henta pengene fra faren min, men jeg visste at mora mi hadde smurt nistepakke og lagt den i veska for sikkerhets skyld.

Vi gikk bort til stasjonsbygninga og tvers igjennom den over det flisbelagte golvet og så kom vi ut og kryssa veien som fulgte jernbanelinja. Vi gikk opp Järnvägsgatan og inn i sentrum. Vi kikka til begge sider på husene etter skiltet til den banken vi hadde et brev til i veska, men vi så ikke skiltet, og vi spurte hverandre høyt med korte mellomrom; kan *du* se det? Og da svarte vi *nei* annenhver gang.

Det var jeg som hadde veska under armen da vi fortsatte videre hele veien opp til det stoppa av seg sjøl fordi gata endte rett ved Klaraälven som kom flommende fra nord og de store skogene der oppe og delte seg rundt en odde her. Den odden sto vi på nå, og elva rant ned gjennom Karlstad på to kanter og delte byen i tre og fløyt til slutt ut i den store sjøen Vänern på deltavis.

– Her var det pent, sa mora mi, og det var kanskje riktig det, men det var kaldt også, med et isnende drag fra elva. Jeg var frossen i kroppen etter å ha sovet på toget og så gått rett ut i høstværet og vinden, og jeg kunne godt tenkt meg å få det overstått, det vi var kommet for, sånn at regnskapet kunne gjøres opp én gang for alle, og noen sette to streker under svaret: Så mye hadde du. Så mye ga du bort. Så mye har du igjen.

Vi snudde og gikk bort fra elva og ned ei annen gate parallell til den vi kom opp.

– Fryser du? sa mora mi. – Det er et skjerf i veska som du kan bruke. Det er ikke et dameskjerf eller noe, så du skjemmer deg ikke ut.

– Nei, jeg fryser ikke, sa jeg, og hørte at stemmen min hadde en utålmodig, irritert tone. Den har jeg fått kritikk for seinere i livet, av kvinner særlig, og det fordi det er kvinner jeg har brukt den mot. Jeg innrømmer det.

Et øyeblikk etter dro jeg ullskjerfet opp av veska. Det hadde tilhørt faren min, men jeg la det bare rundt halsen og knøyt det under haka og stakk de lange endene flatt ned i jakka foran så de dekka det meste av brystet. Jeg følte meg fort bedre og sa bestemt:

– Vi må spørre noen. Vi kan ikke bare gå rundt her i gatene på denne måten.

– Å, vi finner det sikkert, sa mora mi.

– Det gjør vi helt sikkert, til slutt, men det er jo bare tull å bruke opp masse tid.

Jeg visste hun var redd for at de ikke skulle forstå hva hun sa hvis hun spurte noen, at det ville gjøre henne forvirra og få henne til å se hjelpeløs ut, som ei bondekone i storbyen, hadde hun sagt en gang, og det ville hun for all del unngå. For mora mi var bønder en tilbakestående del av befolkninga.

– Jeg skal spørre noen, jeg, sa jeg.

– Hvis du vil, så bare gjør det, du. Ellers finner vi det sikkert snart, sa hun. – Det må jo være her i nærheten.

Bla, bla, bla, tenkte jeg og gikk bort til den første og beste mannen jeg så på fortauet og spurte om han kunne hjelpe oss å finne Wärmlandsbanken. Han så helt normal ut og var nok ingen ølgubbe, for han var pen i tøyet og frakken hans var temmelig ny. Jeg er sikker på at jeg var tydelig og klar i valget av ord og i uttale, men han så bare på meg med åpen munn som var jeg fra Kina og hadde spiss hatt og skeive øyne, eller kanskje bare hadde ett øye i midten, rett over nesa, som kyklopene jeg hadde lest om. Plutselig kjente jeg sinnet stige som ei glødende søyle i brystet, jeg ble varm i ansiktet, jeg fikk en sår følelse i halsen. Jeg sa:

– Er du dauhørt?

– Va? Det låt som en hund som bjeffa.

– Er du dauhørt? sa jeg. – Hører du ikke når folk snakker til deg? Er det noe gæernt med øra dine? Kan du fortelle oss hvor vi kan finne Wärmlandsbanken? Vi er nødt til å finne den banken. Skjønner du ikke det?

Han skjønte ikke det. Han skjønte ikke hva jeg sa i det hele tatt. Det var latterlig. Han bare glodde på meg mens han sakte lot ansiktet gli fra side til side med et nervøst uttrykk i øynene som om personen han hadde foran seg var en idiot som hadde rømt fra asylet, og nå gjaldt det bare å drøye tida så vaktene kunne komme og dra han tilbake før noen kom til skade.

– Vil du ha en på kjeften, sa jeg. Hvis han ikke forsto hva jeg sa, kunne jeg jo si det som falt meg inn. Dessuten var jeg like høy som han og i god form etter denne sommeren, for jeg hadde brukt kroppen min til alt mulig i høyt tempo. Jeg hadde tøyd den og bøyd den i alle retninger og løfta omtrent hva det skulle være og halt og dratt i stein og tre og rodd båten på elva både opp og ned, jeg hadde sykla utallige ganger fram og tilbake mellom Nielsenbakken og Østbanestasjonen det meste av ettersommeren. Jeg følte meg sterk nå og på en merkelig måte uovervinnelig, og mannen foran meg så ikke ut som en atlet akkurat, men det er mulig han forsto den siste setninga bedre enn de første, for øynene hans var blitt trillrunde og veldig på vakt. Jeg gjentok tilbudet:

– Hvis du vil ha en på kjeften, kan du godt få det med én gang, for jeg har jævlig lyst til å gi deg en, sa jeg, – det er bare å si ifra.

– Nej, sa han.

– Hva? sa jeg.

– Nej, sa han, – jag vill *inte* ha en på käften. Om du slår mig, ropar jag på polisen. Han snakka helt tydelig, som en skuespiller. Det irriterte meg voldsomt.

– Det kan vi finne ut av fort om du gjør, sa jeg og kjente den ene hånda knytte seg automatisk. Den føltes varm og rar og stram i alle ledd, og jeg visste ikke hvor disse setningene kom fra som jeg hørte meg sjøl si. Jeg hadde aldri sagt sånne ting til noen, ikke til folk jeg kjente og slett ikke til folk jeg ikke kjente. Og det gikk opp for meg at fra den lille biten av brostein jeg sto på, gikk det linjer ut til flere kanter, som i et diagram tegna nøye opp, hvor jeg sto i en sirkel i midten, og i dag, mer enn 50 år etter, kan jeg lukke øynene og se de linjene tydelig, som lysende piler, og om jeg ikke kunne se dem like klart den høstdagen i Karlstad, visste jeg likevel at de var der, det er jeg overbevist om. Og de linjene var veier jeg kunne gå, og når jeg først hadde valgt én av dem, falt gitterporten ned med et smell, og noen heiste vindebrua opp, og en kjedereaksjon ble satt i gang som ingen kunne stoppe, og det var ikke mulig å snu og gå tilbake i sine egne spor. Og én ting var sikkert; hvis jeg slo til mannen foran meg, hadde jeg gjort et valg.

– Jævla idiot, sa jeg, og skjønte med én gang at jeg likevel hadde bestemt meg for å la han være. Den høyre neven min løste seg verkende opp, og det gikk et tydelig drag av skuffelse over ansiktet foran meg. Han ville nok helst ha ropt på politiet av grunner som jeg ikke forsto, men i samme øyeblikk hørte jeg mora mi rope:

– Trond! fra et sted litt lenger nede i gata, – Trond! Jeg kan se den, den er her. Wärmlandsbanken er *her*! ropte hun, litt høyere enn jeg satte pris på. Men hun hadde heldigvis ikke fått med seg hva som holdt på å skje med livet mitt i min ende av gata, og da trådte jeg ut av sirkelen, de lysende pilene lyste ikke lenger, og diagrammer og linjer smelta sammen og rant bort langs fortauskanten i en tynn, grå strøm og forsvant ned under nærmeste kumlokk. Jeg hadde røde merker etter neglene i den høyre håndflata, men valget var gjort. Hadde jeg slått til mannen i Karlstad, ville livet mitt blitt et annet liv, og jeg vært en annen mann. Og det ville være dumt å påstå som mange gjør, at dét ville gått ut på det samme. Det ville ikke det. Jeg har vært heldig. Jeg har sagt det før. Men det er sant.

Inn i banken ville jeg ikke, så jeg ble stående på utsida mellom vinduene med den ene skulderen mot den grå murveggen og faren min sitt ullskjerf rundt halsen; oktober mot ansiktet, en klar fornemmelse av Klaraälven ikke langt bak meg og alt den dro med seg, og en dirring i magen, som etter en lang løpetur når pusten er tilbake for lengst, men selve anstrengelsen sitter i. Ei lampe noen har glemt å slokke.

Mora mi gikk aleine inn med fullmakten fra faren min i hånda; trassig og innstilt på å få oppdraget overstått, men også tynga av språklig sjenanse. Hun ble borte i nesten en halv time. Fy faen, det var så kaldt der ute i gata, jeg var sikker på jeg skulle bli sjuk. Da mora mi til slutt kom ut igjen med et forvirra, nesten drømmende uttrykk i ansiktet, var det som om kulda fra elva hadde lagt ei tynn hinne av et ukjent stoff rundt kroppen min og gjort meg en tanke mer distansert, en tanke hardere i huden enn det jeg hadde vært før. Jeg retta meg opp og sa:

– Gikk det ikke bra der inne? Skjønte de ikke hva du sa, eller ville de ikke gi fra seg penga? Eller kanskje det ikke fantes noen konto?

– Jo da, sa hun, – det gikk helt fint. Det fantes en konto, og jeg fikk de pengene som var på den. Og så lo hun en nervøs latter og sa:

– Men det var bare 150 kroner. Jeg veit ikke, syns ikke du at det virker ganske lite? Jeg har jo ikke noe rede på det, men hvor mye kan man egentlig tjene på sånt tømmer, tror du?

Det var jeg ingen ekspert på i en alder av femten år, men det burde sikkert ha vært det tidobbelte. Franz hadde aldri lagt skjul på at tømmerfløting ikke foregikk på den måten faren min ville gjennomføre det, at det var et desperat prosjekt, og den eneste grunnen til at han var med og hjalp til, var fordi de var venner, og han visste hvorfor faren min var så desperat. Og sjøl om faren min og jeg hadde løsna én vase der inne ved stryket før vi måtte vende tilbake og jeg reise hjem, så var ikke dét nok. Elva hadde satt inn bremsene helt ubønnhørlig; vannstanden på vei i full fart ned mot det normale i juli etter regnskyllene, og tømmeret hadde nok kræsja og velta til side og hopa seg opp i svære floker som bare dynamitt kunne løsne når den tida kom, det hadde bora seg inn i steinete bredder eller lagt seg patetisk på bunnen i det lave vannet og ikke rikka seg av flekken, og under en tidel av stokkene kom fram til sagbruket før det var for seint. Og det til en verdi av ikke mer enn ett hundre og femti svenske kroner.

– Jeg veit ikke, sa jeg. – Jeg veit ikke hvor mye penger en kan tjene på tømmer. Har ingen anelse.

Vi sto på fortauet foran Wärmlandsbanken og så på hverandre; jeg sikkert mutt og avvisende, som jeg ofte var det mot henne, og hun forvirra og rådvill, men uten bitterhet den dagen. Hun beit seg i leppa, smilte plutselig og sa:

– Jaja, vi fikk da i hvert fall en tur sammen, du og jeg, det er ikke hver dag, er det vel? Og så lo hun:

– Vet du hva det morsomste er?

– Er det noe morsomt? sa jeg.

– Vi må bruke pengene her. Vi har ikke lov til å ta dem med inn i Norge sånn uten videre. Hun lo høyt. – Det er noe med noen valutarestriksjoner som jeg sikkert burde ha visst om. Jeg er redd jeg ikke har fulgt så godt med. Det blir jeg nok nødt til fra nå av.

Det greide hun jo egentlig aldri, hun var for drømmende i sitt vesen, for oppløst i sine egne tanker det meste av tida. Men denne dagen var hun plutselig blitt veldig våken. Hun lo høyt igjen, tok meg i skulderen og sa:

– Kom. Jeg skal vise deg noe jeg så på veien opp.

Vi gikk sammen ned gata i retning jernbanestasjonen. Jeg frøys ikke så mye nå. Jeg var stiv i beina av å stå lenge stille, og ganske nummen i hele kroppen, men det ga seg da vi begynte å bevege oss.

Vi stoppa foran en klesbutikk.

– Her er det, sa hun og dytta meg først inn gjennom døra. En mann kom fram fra rommet bak disken og bukka og ville stå til tjeneste. Mora mi smilte og sa tydelig:

– Vi skal ha en dress til denne unge mannen her. Og så het det sjølsagt ikke dress. Det het noe helt annet som vi ikke hadde mulighet for å gjette, men hun turnerte det enkelt og uten sjenanse nå; i et øyeblikk av eleganse smalt hælene hennes over golvet og bort til der hvor dressene hang, og hun tok én av dem fra rekka og svingte den rundt på hengeren og la den til utstilling over venstrearmen, nikka mot meg og sa:

– En sånn her, til han der. Og hun smilte og hengte den opp igjen, og mannen smilte og nikka og målte meg rundt livet og fra skrittet og ned og spurte hvilket nummer jeg brukte i skjorte, noe jeg aldri hadde tenkt over, men det hadde mora mi. Så gikk han bort til rekka og plukka ut en mørkeblå dress han mente ville passe og pekte mot et prøverom bakerst i lokalet mens han hele tida smilte. Jeg gikk inn i prøverommet og hengte dressen på en knagg og begynte å kle av meg. Det var et høyt speil der inne og en taburett. Det var så varmt i butikken at det prikka i huden på magen og ned langs armene. Jeg ble susete og døsen og satte meg på taburetten og la hendene på knærne og hodet mot hendene. Jeg hadde bare den blå skjorta mi og underbuksa på og kunne lett ha sovna sånn om ikke mora mi hadde ropt:

– Går det bra der inne, Trond?

– Jada, ropte jeg tilbake og reiste meg og begynte å ta på meg dressen; buksa først og så jakka over den blå skjorta. Den satt som et skudd. Jeg ble stående og se meg sjøl i speilet. Jeg bøyde meg og tok skoa mine på og retta meg opp og så på meg sjøl igjen. Jeg så ut som en annen. Jeg knepte de to øverste knappene i jakka. Jeg gnei håndbakene mot øynene og hånd-flatene mot ansiktet rundt og rundt, og jeg dro fing-rene hardt bakover gjennom håret, mange ganger, dro panneluggen til side og dro håret ved tinningene stramt bak øra. Jeg gnei munnen med fingertuppene, det prikka i leppene, og blodet prikka i huden min i ansiktet, og jeg slo meg sjøl i ansiktet flere ganger. Jeg så meg i speilet igjen. Gjorde munnen stram mens jeg myste. Snudde meg den ene veien mens jeg så meg i speilet over skulderen og snudde meg tilbake og gjorde det samme den andre veien. Jeg så ut som en helt annen person enn den jeg hadde vært til den dagen. Jeg så ikke ut som en gutt i det hele tatt. Jeg dro meg gjennom håret noen ganger ekstra før jeg gikk ut i butikken, og jeg kan sverge på at mora mi rødma da hun så meg. Hun beit seg fort i leppa og gikk bort til mannen som var på plass igjen bak disken, og hun hadde fortsatt den energiske gangen.

– Vi vil gjerne kjøpe den, sa hun.

– Det blir nittioåtta kronor jämnt, sa han, og nå smilte han bredt.

Jeg var blitt stående på golvet foran prøverommet. Jeg så ryggen til mora mi bøyd over veska, jeg hørte lyden fra kassaapparatet og mannen som sa:

– Hämskt mycket tack, frun.

– Kan jeg bare beholde den på? sa jeg høyt, og de snudde seg begge og så på meg og nikka samtidig.

Jeg fikk de gamle klærne mine i en papirpose som jeg rulla sammen og bar under den ene armen. Da vi kom ut på fortauet og fortsatte ned mot stasjonen og mot en kafé, kanskje, hvor vi kunne spise, stakk mora mi armen sin under min andre, og sånn gikk vi videre, arm i arm som et par, lette på foten, med riktig høyde i forhold til hverandre, og hun hadde et smell i hælene den dagen som slo ekko fra husveggene på begge sider av gata. Det var som om deler av tyngdeloven ble oppheva. Det var nesten som å danse, tenkte jeg, enda jeg aldri hadde dansa i hele mitt liv.

Vi kom aldri til å gå sammen på den måten igjen. Da vi kom hjem til Oslo, falt hun tilbake i sin egen tyngde og forble den samme for resten av livet. Men den dagen i Karlstad gikk vi arm i arm ned gata. Den nye dressen min satt så lett på kroppen og fulgte meg som ingenting for hvert skritt jeg tok. Vinden kom fortsatt som is ned mellom husene fra elva, og hånda mi kjentes hoven og sår der neglene hadde gått gjennom huden da jeg knytta den så hardt, og likevel føltes alt helt fint i akkurat det øyeblikket; dressen var fin, og byen var fin å gå i langs den brolagte gata, og vi bestemmer jo sjøl når det skal gjøre vondt.

Oktober pocket